Escola Moderna do Cavaquinho

Henrique Cazes

afinações:
ré-sol-si-ré/
ré-sol-si-mi

- todos os acordes incluindo os dissonantes
- como tocar os vários ritmos no cavaquinho
- solo e acompanhamento
- músicas cifradas

Nº Cat.: EMCAV

Irmãos Vitale Editores Ltda.
vitale.com.br
Rua Raposo Tavares, 85 São Paulo SP
CEP: 04704-110   editora@vitale.com.br   Tel.: 11 5081-9499

© Copyright 2009 by Irmãos Vitale Editores Ltda. - São Paulo - Rio de Janeiro - Brasil.
Todos os direitos autorais reservados para todos os países. *All rights reserved.*

CIP-BRASIL. CATALOGAÇÃO NA FONTE
SINDICATO NACIONAL DOS EDITORES DE LIVROS, RJ

C379e

Cazes, Henrique, 1959-
 Escola moderna do cavaquinho : afinações: ré-sol-si-ré/ré-sol-si-mi / Henrique Cazes. - São Paulo : Irmãos Vitale, 2010.
 64p. : il., Música

ISBN 978-85-7407-280-7

1. Cavaquinho - Instrução e estudo.
 I. Título.

10-0812

CDD: 787.3
CDU: 780.614.333

25.02.10   04.03.10   017800

Capa:
Bruno Liberati

Ilustração:
Haroldo Cazes

Revisão de texto:
João Máximo

Arte-final:
Nélio Augusto de Mello e Robson Pires de Almeida

Composição:
J. D. Santos

Supervisão:
Almir Chediak

Agradecimentos especiais à Ricardo Dias,
Mário Jorge Passos, Katsunori Tanaka,
Kenji Honda e Sérgio Lima Nascimento.

A Radamés Gnattali pela lição de
música e de vida que nos deu e
continua a dar.

Sensibilidade e competência

Henrique, você, além de grande músico, é um grande herói e sua sensibilidade e competência me comovem muito. Você, com este trabalho, está dignificando cada vez mais o cavaquinho - instrumento tipicamente brasileiro - e que, até bem pouco tempo, era bastante marginalizado, como foi o violão um dia. Tenho certeza de que, a partir de agora, os adeptos desse instrumento serão muitos. Meus sinceros parabéns a você, pela beleza do trabalho, e ao Almir Chediak, por ter acreditado e editado este manual que é definitivo. Precisamos de mais brasileiros como vocês neste país.

Beth Carvalho

Caminhos brasileiros

Sou um grande admirador do artista Henrique Cazes. Músico sério, estudioso, companheiro e amigo do nosso querido Radamés Gnattali, pertence ao grupo dos que trabalham com prazer e dedicação para que, seguindo caminhos brasileiros, as nossas artes evidenciem, através dos tempos, a contagiante força de expressão que a índole do nosso povo oferece em suas manifestações culturais.

Este método de cavaquinho, elaborado com muito critério por um instrumentista consciente e observador, com certeza, enriquecerá os conhecimentos dos estudantes (e também de profissionais), porque Henrique Cazes aglutinou com clareza idéias predominantes, desenvolveu-as, conseguindo apresentar novas opções de inversão de acordes, escalas, arpejos, células rítmicas para acompanhamento, dedilhados, interessantes pesquisa sobre afinação, evidenciando refinamento e boa postura.

Rildo Hora

Pareceres

Hermeto Pascoal - É muito importante que, pela primeira vez no mundo, os músicos tenham a oportunidade de conhecer o cavaquinho em todos os seus recursos harmônicos, melódicos e rítmicos. O cavaquinho é um instrumento que, além do choro, é ilimitado.

Paulo Moura - Este método será sem dúvida bem vindo para todos aqueles que, apreciando o estilo da música popular carioca, buscam a oportunidade de usufruir das qualidades do cavaquinho como instrumento solista.

Pepeu Gomes - Este método inovador vem pôr fim a uma antiga deficiência no ensino do cavaquinho. Mostra uma enorme variedade de acordes dissonantes, exercícios de técnica, leitura melódica e uma série de músicas de vários autores. É importante frisar que este trabalho serve, também, aos que tocam guitarra baiana com afinação de cavaquinho.

Almir Chediak - Este trabalho é, sem dúvida, o mais importante já feito sobre o aprendizado do cavaquinho. Espero que todos os cavaquinistas amadores e profissionais possam tomar conhecimento desta maravilhosa obra.

Rafael Rabello - Finalmente, alguém se preocupa em viabilizar o estudo do cavaquinho. Era um problema que afligia os iniciantes no instrumento e, também os profissionais. Mas agora tudo está resolvido graças à dedicação desse músico que teve a paciência de oferecer ao cavaquinho e ao musicista em geral este método pioneiro. Bravo, Henrique!

Armandinho (Trio Elétrico) - O cavaquinho, que tem uma sonoridade tão marcante na música brasileira e é tão pouco incentivado no seu aprendizado, tem agora um método claro, prático e completo. Parabéns, Henrique, a MPB agradece.

Joel do Nascimento - A nobreza, o fascínio, a beleza e a "molecagem" do cavaquinho agora já se encontram neste livro.

Mauro Diniz - Estamos diante de um método que realmente ilustra tudo sobre o cavaquinho.
    Existia uma carência muito grande no que diz respeito ao aprendizado deste instrumento, pois até então não tínhamos conhecimento de nenhuma publicação que pudesse nos fornecer dados suficientes para uma pesquisa mais profunda.
    É bastante recomendável para quem deseja obter uma boa técnica e conseqüentemente para quem deseja ser um bom cavaquinista.
    A competência deste trabalho justifica o título: Escola Moderna do Cavaquinho.

ÍNDICE

PARTE 1

I – Resumo histórico 8
II – O instrumento 9
  a) Estrutura 10
  b) Cordas e palhetas 11
  c) Afinação 11
III – Extensão e notação 11
  a) Extensão 11
  b) Notação 12

PARTE 2
Fundamentos

I – Postura 12
II – Arpejo 1 13
III – Martelo Simples 14
IV – Escala Cromática (duas oitavas) 15
V – Leitura Melódica 1 16
VI – Estrutura e representação dos acordes 20
  a) Acorde 20
  b) O acorde representado:
    1) Na pauta 20
    2) No braço do cavaquinho 20
    3) Cifras 20
  c) Formação do acorde 22
    1) Tríade 22
    2) Tétrade 22
    3) Acorde invertido 22
  d) Categoria dos acordes 22
VII – Acordes no cavaquinho 1 22
  a) Tríade maior 22
  b) Tríade menor 23
  c) Acorde com sétima ou de sétima da dominante 24
  d) Acorde diminuto 25
VIII – Acompanhamento cifrado com os acordes estudados, levando-se em conta a condução harmônica 26

PARTE 3

I – Arpejo 2 27
II – Martelo duplo 28
III – Combinação de mão esquerda 28
IV – Exercícios de fortalecimento dos dedos 3 e 4 28
V – Exercício com nota fixa 28
VI – Escala cromática com repetição 30
VII – Leitura melódica 2 31
VIII – Células rítmicas mais comuns no acompanhamento de cavaquinho 39
IX – Acordes no cavaquinho 2 40
  a) Acorde com sexta 6 40
  b) Acorde menor com sexta m6 41
  c) Acorde de sétima e quarta $\frac{7}{4}$ 42
  d) Acorde de sétima com quinta diminuta 7(b5) 42
  e) Acorde de sétima com quinta aumentada 7(#5) 43
  f) Acorde menor com sétima m7 43
  g) Acorde menor com sétima maior m(7M) 44
  h) Acorde menor com sétima e quinta diminuta m7(b5) 44
  i) Acorde com sétima maior 7M 45

PARTE 4

I — Arpejo 3 **45**
II — Exercícios de fortalecimento e independência dos dedos 3 e 4 (continuação) **48**
III — Sugestão de técnica mínima diária **48**
IV — Efeitos (notação e execução) **48**
    a) Pizzicato **48**
    b) Trêmolo **49**
    c) Harmônicos **49**
    d) Segundas menores **50**
V — Regras básicas de digitação **50**
VI — Leitura melódica 3 (sugestões de repertório de solo) **50**
VII — Acordes no cavaquinho 3 **51**
    a) Acorde de sétima e nona 7(9) **51**
    b) Acorde de sétima e nona menor 7(b9) **51**
    c) Acorde de sétima e nona aumentada 7(#9) **52**
    d) Acorde com sétima maior e nona **7M(9)** **52**
    e) Acorde com nona adicionada (**add9**) **52**
    f) Acorde com sexta e nona $\frac{6}{9}$ **52**
    g) Acorde menor com sétima e décima primeira **m7(11)** **53**
    h) Acorde de sétima com décima primeira aumentada 7(#11) **53**
    i) Acorde de sétima com décima terceira **7(13)** **53**
    j) Acorde de sétima com décima terceira menor **7(b13)** **53**
VIII — Músicas populares harmonizadas **54**

PARTE 1

I – RESUMO HISTÓRICO

Existe unanimidade entre autores como Oneyda Alvarenga, Mário de Andrade, Renato Almeida e Câmara Cascudo sobre a origem portuguesa do cavaquinho. Afirma Cascudo que de Portugal o instrumento teria sido levado para a Ilha da Madeira e de lá, após absorver algumas modificações, vindo para o Brasil. Na verdade, o cavaquinho chegou não só à Ilha da Madeira, mas, também, aos Açores, Havaí e Indonésia.

No Havaí, levado pelo madeirense João Fernandes em 1879, foi rebatizado pelos habitantes locais como *ukulele* (pulga saltadora), caiu no gosto da população e acabou se tornando símbolo da música havaiana. Na Indonésia, ganhou o nome de *kerotjong* (ou viola de kerotjong ou ainda ukulele como no Havaí), e participa do conjunto que toca o gênero de mesmo nome, bem parecido com o conjunto de choro brasileiro. No livro *Instrumentos Populares Portugueses* encontramos a seguinte descrição: "O cavaquinho é um cordofone popular de pequenas dimensões, do tipo da viola de tampos chatos – e portanto da família das guitarras européias – caixa de duplo bojo e pequeno enfraque, e de quatro cordas de tripa ou metálicas – conforme os gostos, presas em cima nas cravelhas e embaixo no cavalete colado no meio do bojo inferior do tampo. Além deste nome, encontramos ainda, para o mesmo instrumento ou outros com ele relacionados, as designações de *machinho, machim, machete, manchete* ou *marchete, braguinha* ou *braguinho, cavaco* etc. . ."

Além das coincidências de formas e afinações do instrumento lá e aqui, vemos ainda que em ambos os casos o cavaquinho está ligado a manifestações populares, festas de rua, etc.

Sobre os gêneros que o utilizam em Portugal, encontramos na mesma publicação o seguinte: "Como instrumento de ritmo e harmonia com seu tom vibrante e saltitante, o cavaquinho é como poucos, próprio para acompanhar viras, chulas, malhões, canas-verdes, verdegares e prins".

Além dos gêneros em que é usado, outro detalhe marca a diferença entre o cavaquinho no Brasil e em Portugal: a maneira de tocar. Enquanto aqui utilizamos a palheta para tanger as cordas, lá são usados os dedos da mão direita, geralmente fazendo rasgueado.

No Brasil o cavaquinho desempenha importante função no acompanhamento dos mais variados estilos, desde gêneros musicais urbanos como o samba e o choro, até manifestações folclóricas diversas como folias de reis, bumba-meu-boi, pastoris, chegança de marujos.

O cavaquinho, com a flauta e o violão, formou o conjunto que deu origem ao choro como forma de tocar e mais tarde como gênero musical. Com o aparecimento do samba na década de 10, o cavaquinho ganhou o gênero com o qual é mais identificado, e no qual participa de todo tipo de evento, desde o samba de terreiro até o desfile das escolas de samba, muitas vezes sendo o único instrumento harmônico.

Ao longo deste século grandes instrumentistas marcaram o desenvolvimento do cavaquinho, entre os quais podemos citar Nelson Alves (Nelson dos Santos Alves – Rio de Janeiro – 1895-1960). Integrante do grupo de Chiquinha Gonzaga e fundador dos Oito Batutas. Autor de choros como *Mistura e manda* e *Nem ela. . . nem eu*. Canhoto (Waldiro Frederico Tramontano – Rio de Janeiro – 1908-1987). O mais marcante acompanhador de cavaquinho. Tocou com Benedito Lacerda desde a década de 30; em 1950 fundou seu próprio regional, marco dentro dessa formação instrumental. Garoto (Aníbal Augusto Sardinha – São Paulo – SP – 28/6/1915 – Rio de Janeiro 03/05/1955). Inigualável virtuose das cordas. Tocava banjo, cavaquinho, bandolim, violão tenor, guitarra havaiana, violão, etc. Foi o autor de músicas revolucionárias para a sua época como *Duas contas* e *Sinal dos tempos*. E sobretudo aquele que popularizou o cavaquinho como solista: Waldir Azevedo (Rio de Janeiro – 27/01/1923-20/09/1980). Autor das músicas mais executadas do repertório de cavaquinho: *Brasileirinho, Delicado* e *Pedacinhos do céu*, entre outras. Podemos ainda acrescentar que dentro dessa evolução o acontecimento mais recente de relevo é a experiência camerística que a Camerata Carioca, idealizada pelo maestro Radamés Gnattali, realiza; utilizando o cavaquinho para tocar desde concertos de Vivaldi até músicas de autores contemporâneos.

Nos últimos anos duas variações de forma do cavaquinho ganharam adeptos: a guitarra baiana (um cavaquinho elétrico de corpo maciço e forma de guitarra elétrica) instrumento solista dos trios elétricos, e o banjo-cavaquinho, que devido ao seu som alto, se equilibra melhor com os instrumentos de percussão usados nos chamados pagodes.

II – O INSTRUMENTO

a) **Estrutura**

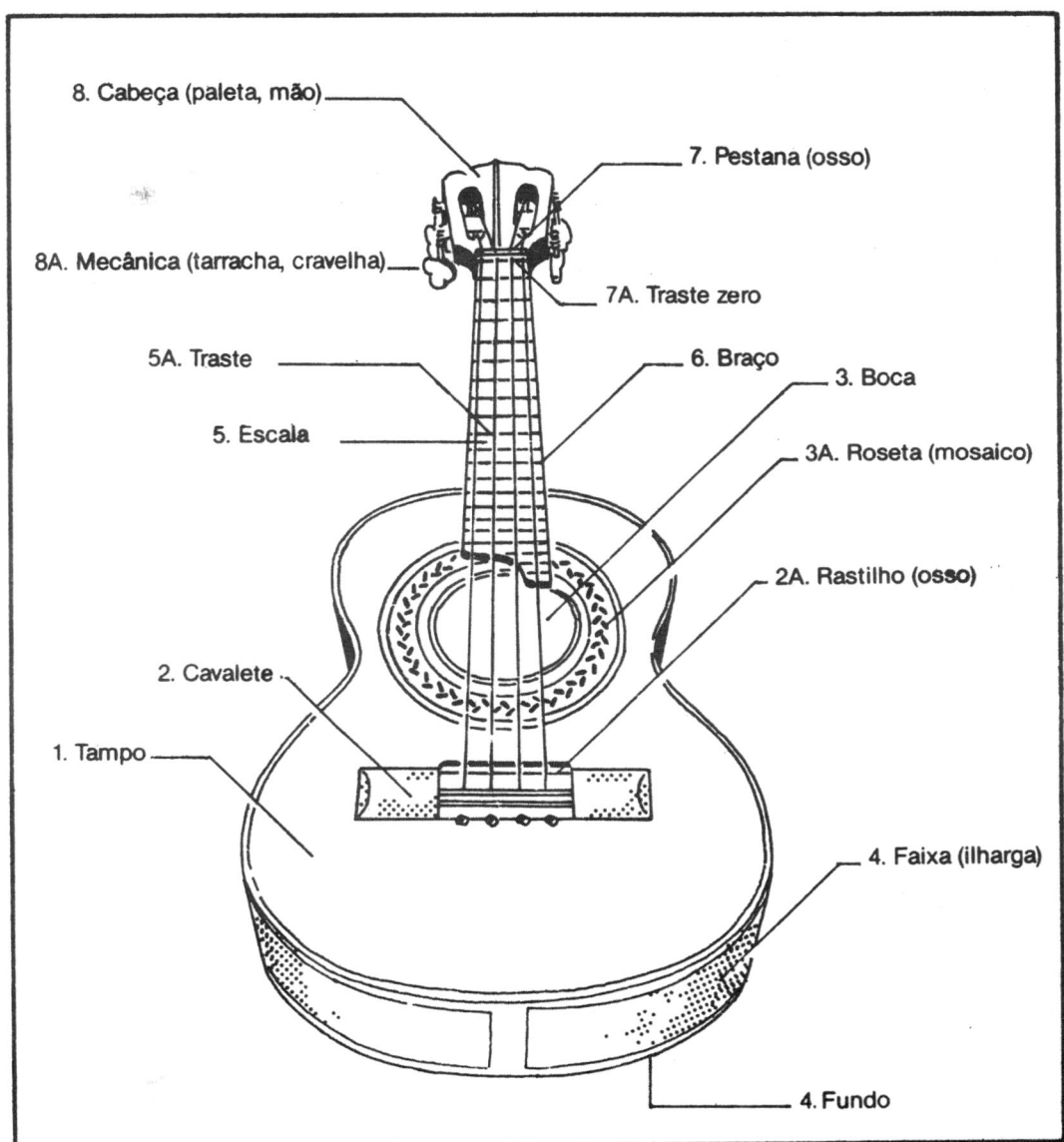

FIGURA 1

- Os nomes entre parênteses são também usados para cada parte.

1. Tampo — material: Spruce (pinho sueco), cedro ou cedar.

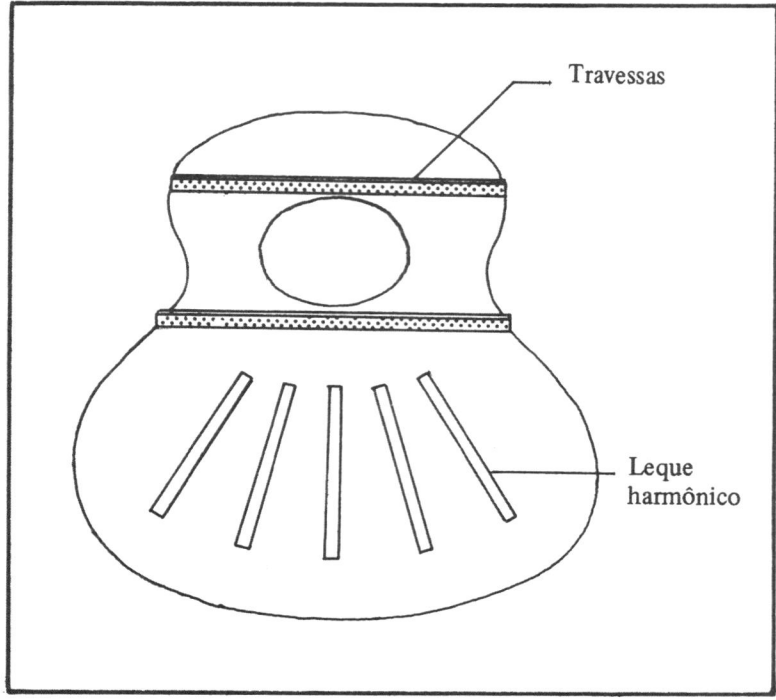

FIGURA 2

- A relação entre o material do tampo, a quantidade e os tipos de leques, o material das faixas e fundo e as dimensões da caixa é que vai determinar o timbre e o volume do instrumento.
  Ex.: tampo mais duro ⇒ cavaquinho mais agudo; caixa mais larga ⇒ realce da região médio-grave.

2. Cavalete — de jacarandá, imbuia, ébano. É a peça onde se prendem as cordas. É colado ao tampo e nele inserido o rastilho (2-A) que consiste em uma peça de osso (eventualmente plástico ou marfim), responsável pela altura e tensão das cordas. Sabe-se que o timbre também sofre influência do material do rastilho.

3. Boca — orifício responsável pelo equilíbrio das pressões externa e interna. A roseta (3-A), além da função decorativa, reforça as bordas da boca.

4. Faixa e fundo — de jacarandá, caviuna, imbuia, faia, plátano, etc. Nos instrumentos pequenos como o cavaquinho, influi bastante no timbre a escolha da madeira.

5. Escala — de ébano ou jacarandá. É uma placa de madeira colada sobre o braço, na qual estão fixados os trates (5-A). A proporção das distâncias entre os trastes é que vai dar o temperamento da escala, dividindo-a precisamente em semitons.

6. Braço — de cedro ou mógno. Sua forma e dimensões determinarão maior ou menor conforto para o instrumentista.

7. Pestana — de osso (eventualmente de plástico). Tem função semelhante ao rastilho e ainda divide as cordas equidistantemente. É muito comum encontrarmos no cavaquinho o traste zero (7-A), colocado junto à pestana e responsável pela altura das cordas.

8. Cabeça — costuma ter o desenho que caracteriza o fabricante e nela estão localizadas as mecânicas (8-A), cuja finalidade é fixar as cordas e controlar sua tensão, visando a afinação.

b) **Cordas e Palhetas**

A fabricação de cordas para cavaquinho ainda se encontra em estágio bastante primitivo, e na falta de opções o que funciona satisfatoriamente são as cordas de aço para violão.

Deve-se escolher o tipo de corda de acordo com o instrumento e o gosto do instrumentista, tomando o cuidado para não usar a quarta e a terceira cordas de calibre muito grande, ou seja, não usar cordas muito grossas.

Quando se coloca uma corda nova em um cavaquinho, é aconselhável subir a afinação gradativamente até a altura do diapasão, para evitar que a corda se rompa.

A palheta costuma ser uma opção pessoal do instrumentista, mas podemos observar algumas características gerais:

- A palheta mole é mais barulhenta e desaconselhável para solo.
- A palheta dura é mais versátil servindo tanto ao centro quanto ao solo.
- Quanto menor a palheta, menos ruído causa.
- As palhetas de plástico escuro costumam apresentar melhores resultados do que as de plástico colorido.
- Qualquer que seja o tipo de palheta, é importante que a superfície que fará contato com a corda esteja polida, para evitar ruídos.

Um material bastante usado em palhetas é o casco de tartaruga, e os cavaquinistas que preferem este tipo costumam moldá-las a seu gosto. As palhetas de tartaruga têm a vantagem de não quebrar, apenas gastar.

c) **Afinação**

Desde o seu surgimento em algumas cidades portuguesas, o cavaquinho tem sido afinado de diversas maneiras das quais podemos citar (do grave para o agudo):

- Ré-Sol-Si-Ré – mais usado e que os madeirenses trouxeram para o Brasil;
- Sol-Sol-Si-Ré e Lá-Lá-Dó-Mi;
- Ré-Sol-Si-Mi – usada em Coimbra;
- Sol-Ré-Mi-Lá – chamada de afinação para malhão e vira, na "Moda velha";
- Sol-Dó-Mi-Lá – usada na região de Barcelos.

Existem ainda afinações em que a corda mais aguda é a terceira e não a primeira.

No Brasil a afinação mais usada é Ré-Sol-Si-Ré, sendo também encontrada a Ré-Sol-Si-Mi e até mesmo uma afinação em quintas (como no bandolim) – Sol-Ré-Lá-Mi.

Este método aborda as duas afinações mais comuns (Ré-Sol-Si-Ré e Ré-Sol-Si-Mi) que daqui pra frente passamos a chamar de: *tradicional*, a primeira, e *natural*, a segunda.

Observação: O nome *natural* procura seguir o critério usado para denominar as afinações da viola caipira (ou brasileira), ou seja, a afinação como a do violão fica com o nome de natural.

Em matéria de utilização para o acompanhamento, as afinações se equivalem. Para o solo, a afinação natural é sem dúvida mais rica, pois aumenta a extensão do cavaquinho.

Qualquer que seja a afinação utilizada é muito importante que o instrumentista adquira o hábito de afinar na altura correta, dada pelo diapasão. Normalmente o diapasão dá o Lá – 440 Hz (às vezes 442 Hz) que deve corresponder ao Lá na 2ª casa da 3ª corda. Feito o acerto do Lá padrão, teremos a 3ª corda afinada e daí poderemos seguir diversos caminhos para afinar as demais, dos quais citamos abaixo o mais comum:

③ Sol   C4 = ② Si

② Si   C3 = ① Ré (afinação tradicional) = ④ Ré (oitava)

          C5 = ① Mi (afinação natural)

③ Sol   C7 = ④ Ré.

É muito comum após um procedimento como o apresentado acima, montarmos um acorde e este soar desafinado, devido às deficiências na construção do cavaquinho. Nestes casos é necessário fazermos aproximações para termos uma média de afinação razoável.

Ultimamente, com o surgimento dos afinadores eletrônicos, pode-se atingir uma média mais precisa na afinação.

III – EXTENSÃO E NOTAÇÃO

O cavaquinho é escrito em clave de Sol, soando exatamente na altura em que é escrito.

a) **Extensão**

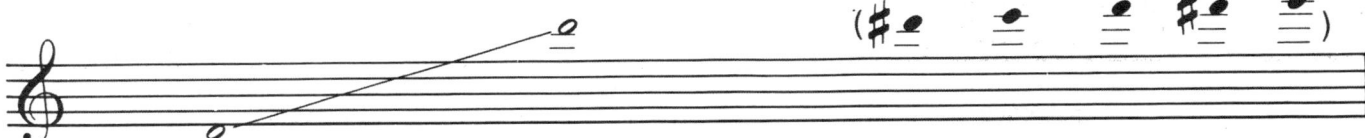

A extensão usual é de duas oitavas, sendo que as notas que estão entre parênteses só são alcançadas com facilidade por quem usa afinação natural.

b) **Notação**
Na notação das partes de cavaquinho aparecem as seguintes indicações:
- ④, ③, ②, ① — número dentro de um círculo indica a corda que está sendo tocada;
- 1, 2, 3, 4 — indicam os dedos: indicador, médio, anular e mínimo da mão esquerda, respectivamente.
- C1, C2, etc. — indica a casa mais próxima da pestana em que vamos tocar um trecho ou montar um acorde;
- ↑↓ — setas para cima e para baixo indicam o sentido da palhetada.

PARTE 2

I – POSTURA

A postura que será apresentada aqui segue a uma lógica física e anatômica, e pode ser descrita em três pontos:
- Para manter a coluna vertebral em posição ereta e tocar sem problemas, em pé ou sentado, é necessário que se empunhe o instrumento à altura do diafragma, com o braço paralelo ao solo. O cavaquinho deverá estar totalmente firme por meio de uma pressão do antebraço direito sobre o lado direito do peito e do apoio do braço do instrumento sobre a primeira junta do dedo indicador da mão esquerda.
- Como precisamos de plena liberdade de movimentos para o pulso direito, não é aconselhável apoiá-lo sobre o tampo do cavaquinho nem apoiar o dedo mínimo da mão direita logo abaixo da boca do instrumento. A mão direita deve se movimentar paralelamente ao tampo. Os dedos que não seguram a palheta devem estar naturalmente unidos.

FIGURA 3

FIGURA 4

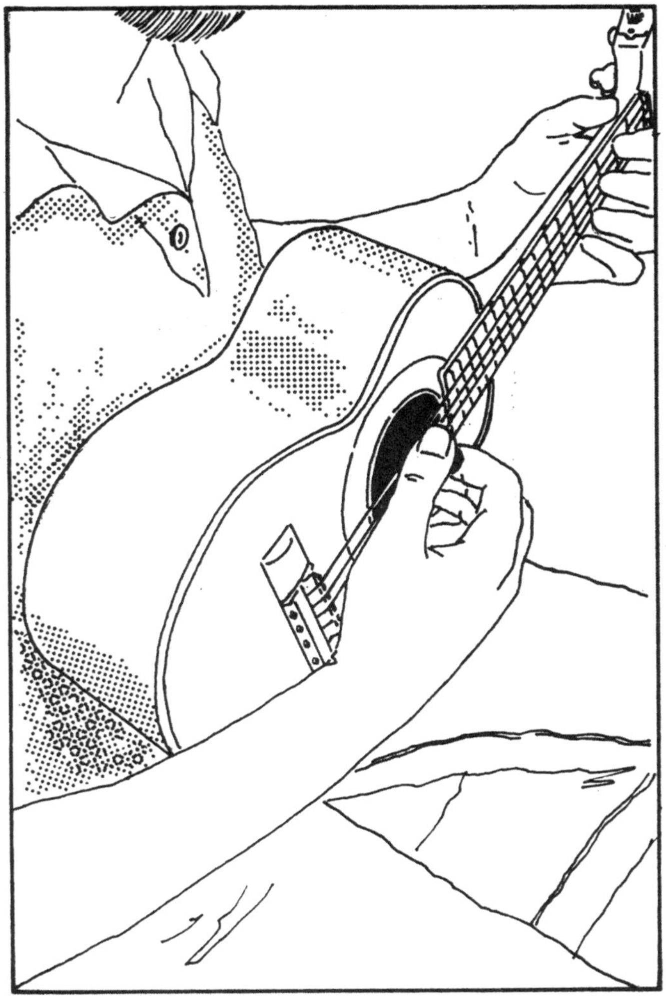

FIGURA 5

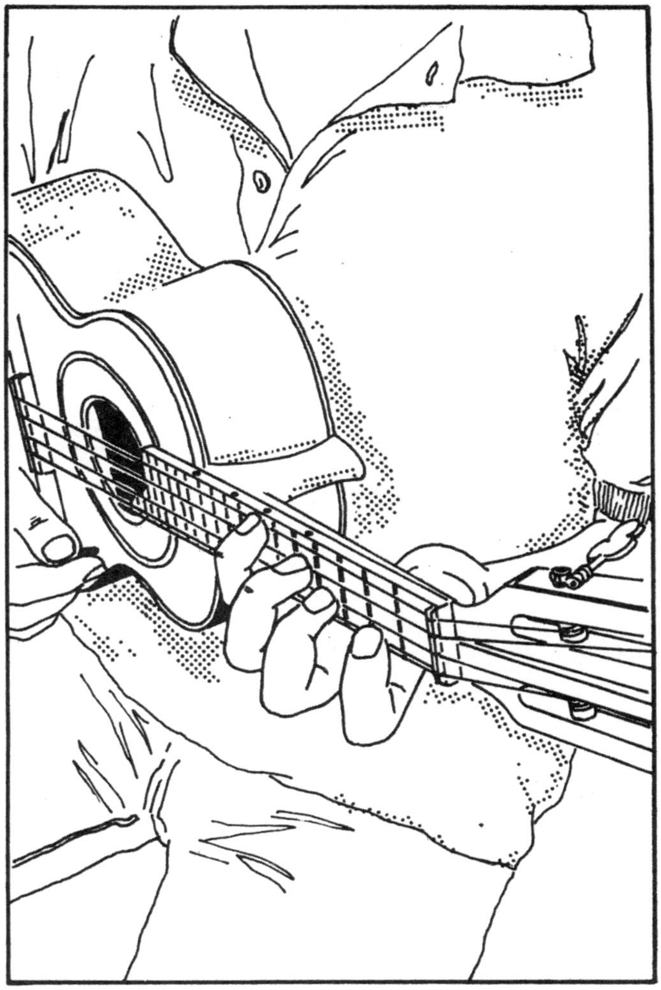

FIGURA 6

- Os dedos indicador, médio, anular e mínimo da mão esquerda, que vão apertar as cordas, devem ser arqueadas para que atuem perpendicularmente à escala.

O polegar esquerdo que dará apoio para todos os movimentos deve atuar da maneira mais cômoda e eficiente possível. Levando-se em conta que, devido as dimensões reduzidas do instrumento, as variações de tamanho de mão do executante e de região a ser usada provocam variação muito grande na posição do polegar esquerdo, diferentemente do violão em que se trabalha com postura de mão esquerda mais rígida.

II — ARPEJO I

O objetivo dos exercícios que se seguem é fixar boa postura de mão direita e iniciar o desenvolvimento de uma noção de distância entre as cordas, sem que para isso seja necessário olhar em que corda a palheta vai tocar.

- Os sinais ♩=♩ indicam que a unidade de tempo é mantida durante todo o exercício, ou seja: mudam as figuras de ritmo, mas o andamento permanece inalterado. Isto implica em que devemos escolher andamento lento (por exemplo ♩ = 50) para irmos sem problemas do início ao fim do exercício.
- É importante que se observe o sentido da palhetada, descrito pelas setas abaixo do pentagrama.
- Podemos observar ainda que o importante deste exercício é o trabalho da mão direita. Sendo assim, não é necessário trabalhar com as cordas soltas. Podemos, por exemplo, abafar as cordas ou montar um acorde.
- Para quem usa a afinação natural (Ré-Sol-Si-Mi) o exercício é exatamente igual, só que a 1ª corda em vez de Ré, passa a ser Mi, ou seja, as notas do primeiro tempo do segundo compasso de cada tipo de exercício, passam a ser Mi.

III – MARTELO SIMPLES

O exercício de martelo simples tem como objetivo fixar boa postura para a mão esquerda e iniciar o processo de fortalecimento e independência dos dedos.

A posição correta é a mostrada na figura abaixo.

FIGURA 7

Partindo-se desta posição, o exercício consiste em levantar cada um dos dedos separadamente, mantendo os demais na posição inicial.

- Não é necessário levantar muito cada dedo. O importante é levantá-los a uma mesma distância da escala, mantendo o **arqueamento do dedo**.
- Este exercício deve ser executado em andamento lento para que haja atenção a todos os movimentos.
- Em caso da mão esquerda ficar muito tensa, parar e só reiniciar quando tiver voltado ao normal.
- **Para quem usa a afinação natural (Ré-Sol-Si-Mi), a única alteração é no quarto compasso do exercício: em vez de Lá-Ré fica Si-Mi. Ou seja, a posição dos dedos é idêntica a de quem usa a afinação tradicional.**

IV – ESCALA CROMÁTICA (2 oitavas)

AFINAÇÃO TRADICIONAL

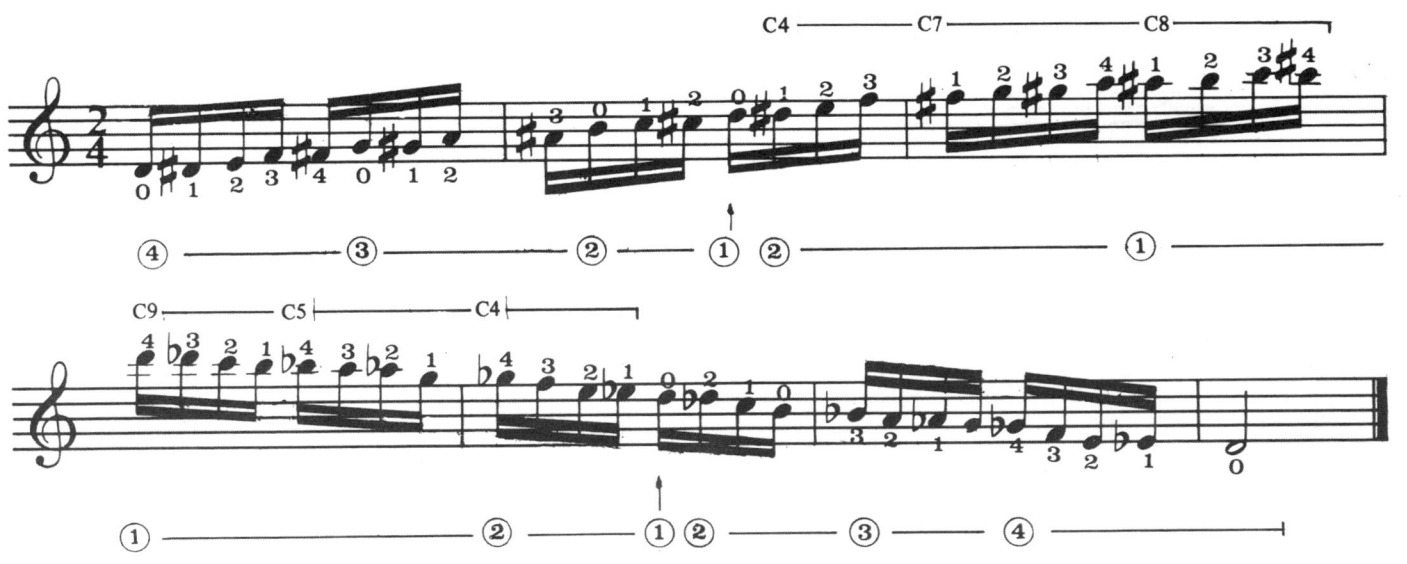

AFINAÇÃO NATURAL

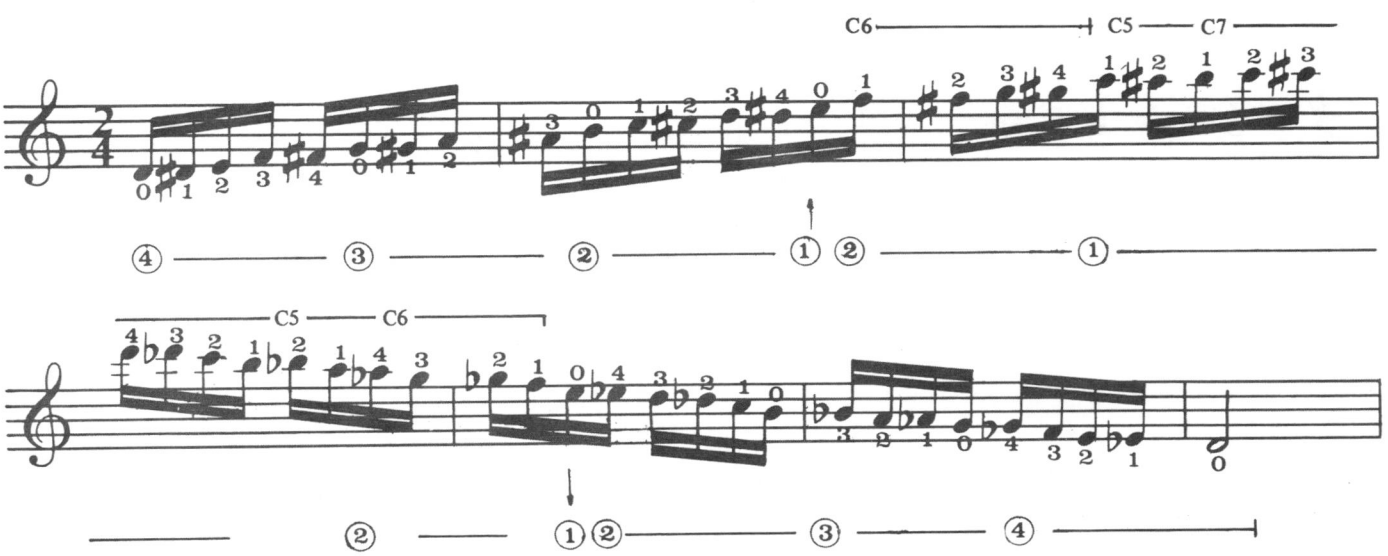

- É sempre bom lembrar que as digitações aqui apresentadas são as mais comuns, o que não impede que existam outras possibilidades adaptáveis a cada instrumentista.
- Deve-se objetivar neste exercício valores homogêneos e um som claro em todas as notas. Para se conseguir este resultado é bom iniciar bem lentamente (♩ = 30 ⇒ ♪ = 60 ♬ = 120), cuidando para que não ocorram oscilações no andamento.
- Outro objetivo que devemos ter em mente é que o som de uma nota deve durar até o ataque da subseqüente, sem pausas.
- Àqueles que ainda não têm prática de leitura, cabe lembrar que na representação da escala estão designados o dedo da mão esquerda, a corda e a casa mais próxima da pestana que estaremos usando.

V – LEITURA MELÓDICA I

As músicas aqui apresentadas visam a desenvolver a prática da leitura com o instrumento, bem como a associação entre a altura da nota e sua localização no braço do cavaquinho.

Como só trabalharemos com a região correspondente às primeiras casas do instrumento, não haverá necessidade de indicar a digitação.

EXERCÍCIOS PREPARATÓRIOS (cordas soltas)

Para quem usa afinação natural, trocar o Ré da 1ª corda  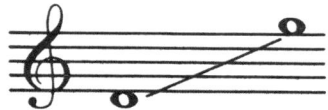 pelo Mi

VI – ESTRUTURA E REPRESENTAÇÃO DOS ACORDES

a) Acorde
Acorde é o agrupamento de três ou mais sons ouvidos simultaneamente.

b) O acorde representado:
   1) Na pauta
   A representação dos acordes na pauta é feita pela superposição das notas, mostrando a simultaneidade dos sons.

   2) No braço do cavaquinho

   DÓ MAIOR, AFINAÇÃO TRADICIONAL

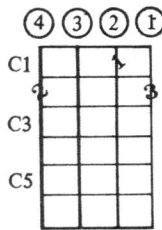

Os números 1, 2, 3 e 4 correspondem aos dedos da mão esquerda, isto é, indicador, médio, anular e mínimo, respectivamente.

Observação: A transposição dos acordes no cavaquinho se processa da mesma maneira que no violão, isto é, desloca-se o acorde para a direita ou para a esquerda do braço do cavaquinho fazendo com que as notas sejam abaixadas ou elevadas por igual.

Por exemplo: quando montamos uma pestana na quinta casa, obtemos um acorde de Dó maior (**C**); na sexta casa Dó sustenido maior (**C#**); na quarta o Si maior (**B**) e assim sucessivamente.

   3) Cifras
   São símbolos práticos de acordes usados habitualmente em notação harmônica de música popular, para qualquer instrumento. Em lugar do nome das notas (Dó, Ré, Mi, Fá, Sol, Lá, Si), usamos as sete primeiras letras maiúsculas do alfabeto.

   Lá = A   Mi = E
   Si = B   Fá = F
   Dó = C   Sol = G
   Ré = D

Em caso de existirem sinais de alteração, estes aparecem à direita da letra maiúscula: **G#** (Sol sustenido), **Eb** (Mi bemol).
Ao usarmos cifras devemos ter consciência do seguinte, a cifra estabelece:
* O acorde com suas três, quatro ou mais notas e eventuais alterações.
* O estado do acorde (fundamental ou invertido).

Observação: Inversão é quando o baixo não coincide com a nota da fundamental. Ex.: **C/E** → Dó maior com mi no baixo.
Como no cavaquinho não temos a região do baixo, será indiferente.
A cifra não estabelece, deixando à livre critério e bom gosto do executante:
* A posição do acorde, ou seja, a ordem vertical das notas.
* Notas a serem duplicadas ou triplicadas.
* Notas a serem suprimidas.
* Se devemos ou não usar notas estranhas ao acorde e quais.

Dentro da liberdade que a notação de cifra nos dá, devemos usar além do bom gosto (quanto a unidade de estilo), uma condução harmônica compatível com as possibilidades técnicas do cavaquinho, além de alguns fundamentos que garantam um som claro, como por exemplo:
- Toda tríade (acorde de três sons: fundamental, terça e quinta) deve conter a terça.
- Todo acorde de sétima deve conter a terça e a sétima.
- Toda nota alterada deve ser tocada. Ex.: (b5), (#5), (b9), etc...
- A fundamental e a quinta justa são dispensáveis.
- Duplicar ou triplicar só a fundamental e a quinta justa. (E no acorde diminuto a terça).
- Nos estados invertidos a nota do baixo tem que ser ouvida (para o cavaquinho não é necessário).

Observação: Podemos verificar que a fundamental e a quinta justa tanto podem ser duplicadas, triplicadas, como suprimidas. Isto será muito importante para o cavaquinho quando estiver à frente de um acorde com mais de quatro sons, e tiver que escolher uma ou mais notas para suprimir.

Apesar do dobramento da terça resultar num certo prejuízo acústico, no cavaquinho é aceitável e na prática bastante utilizado.

- **Quadro dos intervalos e símbolos usados na cifragem dos acordes, tomando como exemplo a nota fundamental Dó**

NOTAS	ENARMONIA	INTERVALOS	SÍMBOLO	NOME
Dó		1		Fundamental
Réb		2m	b9	Nona menor
Ré		2M	9	Nona (maior)
Ré#	Enarmônicos	2 aum.	#9	Nona aumentada
Mib		3m	m	Terça menor
Mi		3M		Terça maior
Fá		4J	4	Quarta (justa)
			11	Décima primeira (justa)
Fá#	Enarmônicos	4 aum.	#11	Décima primeira aumentada
Solb		5 dim.	b5	Quinta diminuta
Sol		5J		Quinta (justa)
Sol#	Enarmônicos	5 aum.	#5	Quinta aumentada
Láb		6m	b6	Sexta menor
			b13	Décima terceira menor
Lá	Enarmônicos	6M	6	Sexta (maior)
			13	Décima terceira (maior)
Sibb		7 dim.	o ou dim.	Sétima diminuta
Sib		7m	7	Sétima (menor)
Si		7M	7M	Sétima maior

- Na coluna (nome) os termos entre parênteses são subentendidos quando se diz o nome de um determinado acorde.

  Ex. 1 — **C$_9^6$** Dó com sexta e nona   Ex. 2 — **Dm7(9)** Ré menor com sétima e nona

  Enarmonia, são nomes diferentes para um mesmo som.

- *Este gráfico foi extraído do livro "Harmonia e Improvisação" de Almir Chediak.*

c) Formação do acorde
   1) Tríade
      - A tríade maior é formada pela fundamental, terça maior e quinta justa, resultando na superposição de uma terça maior e uma menor.
      - A tríade menor é formada pela fundamental, terça menor e quinta justa, resultando na superposição de uma terça menor e maior.
      - A tríade diminuta é formada pela fundamental, terça menor e quinta diminuta, resultando na superposição de duas terças menores.
      - A tríade aumentada é formada pela fundamental, terça maior e quinta aumentada, resultando na superposição de duas terças maiores.

   Ex.:

   2) Tétrade
      Tétrade é o agrupamento de quatro sons.
   3) Acorde invertido
      Tem-se acorde invertido quando o baixo se encontra sobre a terça, quinta justa ou sétima menor ou maior.
      Observação: Como no cavaquinho não temos a nota do baixo será indiferente.

d) Categoria dos acordes
   Baseado no sistema tonal os acordes são divididos em quatro categorias: maior, menor, sétima dominante e diminuto.
   A categoria maior se caracteriza pela fundamental, terça maior e quinta justa e nunca possui sétima menor.
   A categoria menor se caracteriza pela fundamental, terça menor e quinta justa.
   A categoria de sétima da dominante se caracteriza pela fundamental, terça maior e sétima menor.
   A categoria dos acordes de sétima diminuta se caracteriza pela fundamental, terça menor, quinta diminuta e sétima diminuta.
   Observação: Na PARTE 2 deste método serão abordados os acordes básicos de cada uma dessas categorias.

VII – ACORDES NO CAVAQUINHO 1

Como temos quatro cordas e as tríades têm três sons diferentes, podemos dobrar uma dessas notas. O dobramento da fundamental e da quinta justa resultam acusticamente melhor; o dobramento da terça maior ou menor é aceitável e bastante utilizado na prática.

Apresentamos os acordes a seguir, nas duas afinações (tradicional e natural) e nas regiões onde são normalmente usados.

a) Tríades maiores

AFINAÇÃO TRADICIONAL

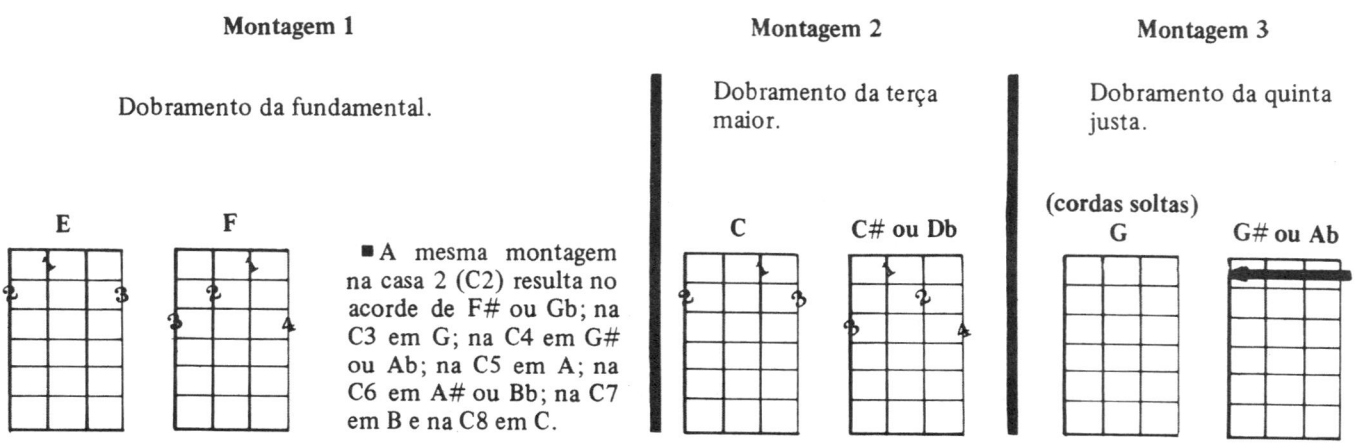

AFINAÇÃO NATURAL

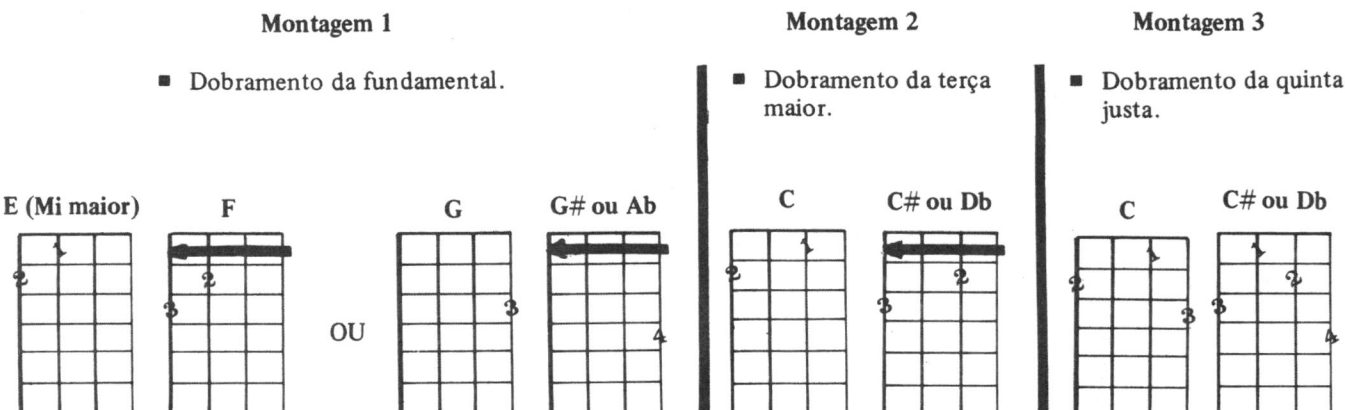

Exercício: Escrever no pentagrama todas as tríades maiores nas montagens apresentadas, localizando a fundamental, terça maior e a quinta justa, e o dobramento.

b) Tríades menores

AFINAÇÃO TRADICIONAL

Montagem 1	Montagem 2	Montagem 3
■ Dobramento da fundamental.	■ Dobramento da terça menor.	■ Dobramento da quinta justa.
Em Fm	Cm C#m	G#m Am

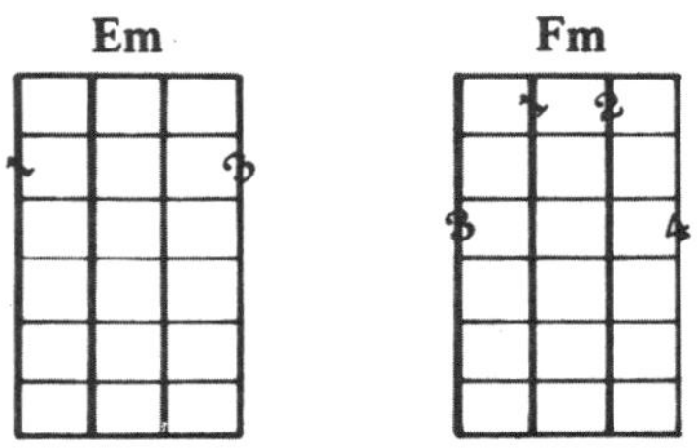

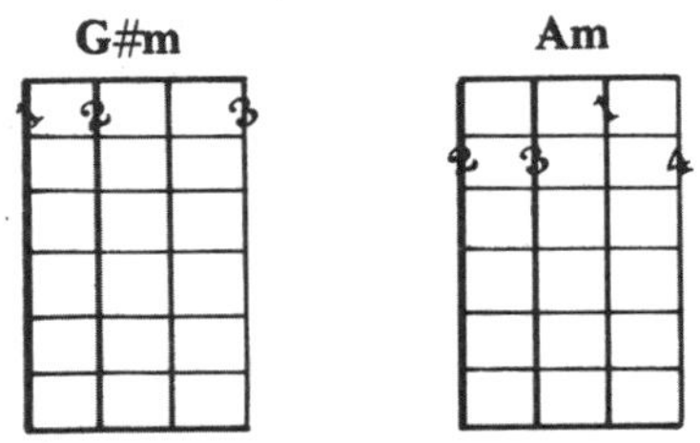

AFINAÇÃO NATURAL

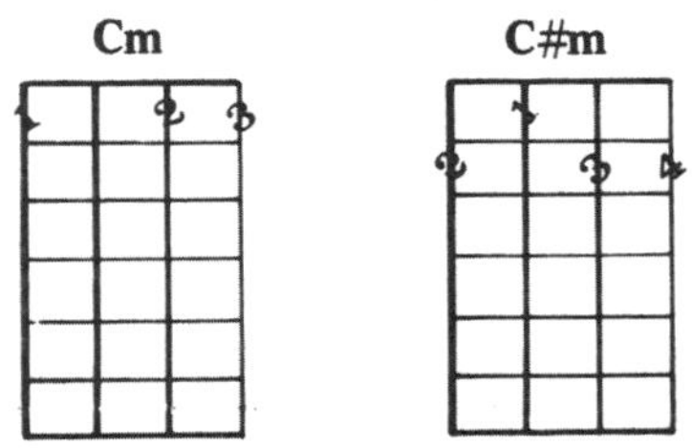

Montagem 1	Montagem 2	Montagem 3
■ Dobramento da fundamental.	■ Dobramento da terça menor.	■ Dobramento da quinta justa.
Em Fm	Em Fm	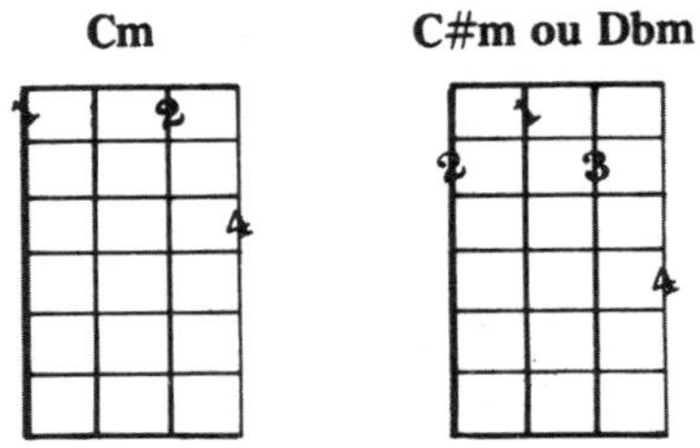 Cm C#m ou Dbm

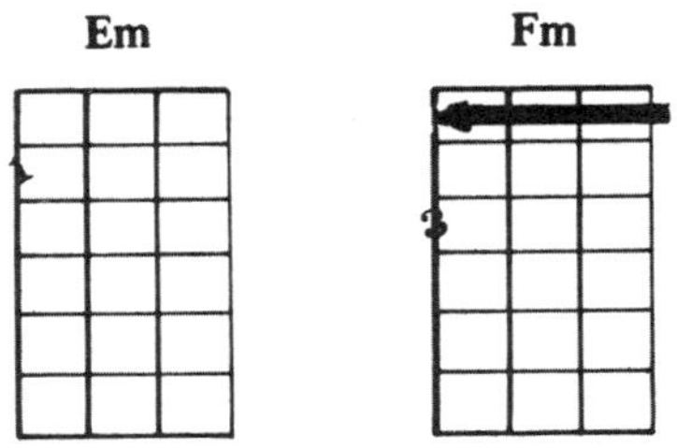

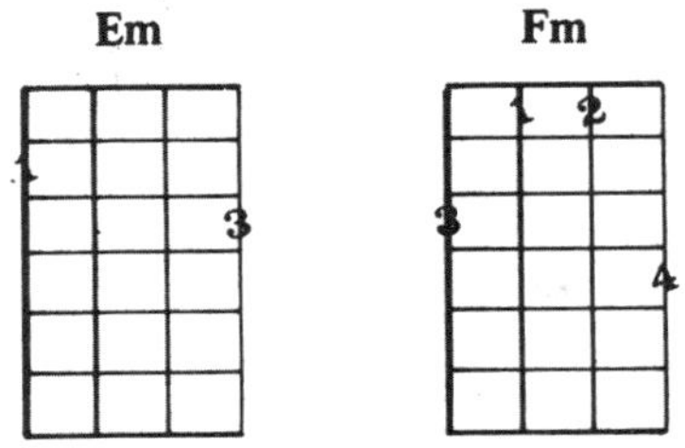

Exercício: Escrever no pentagrama todas as tríades menores nas montagens apresentadas localizando a fundamental, terça menor, quinta justa e os dobramentos.

c) Acorde de sétima ou de sétima da dominante

Os acordes de sétima da dominante são conhecidos popularmente como acordes preparatórios e geralmente pedem resolução num acorde maior ou menor, cuja fundamental se encontra quarta justa ascendente ou quinta justa descendente.

Ex.: **G7   C**

Mostraremos as montagens com todas as notas e em seguida algumas com dobramentos e supressões. As montagens com as quatro notas serão ordenadas pela mais aguda.

ACORDES DE SÉTIMA

AFINAÇÃO TRADICIONAL

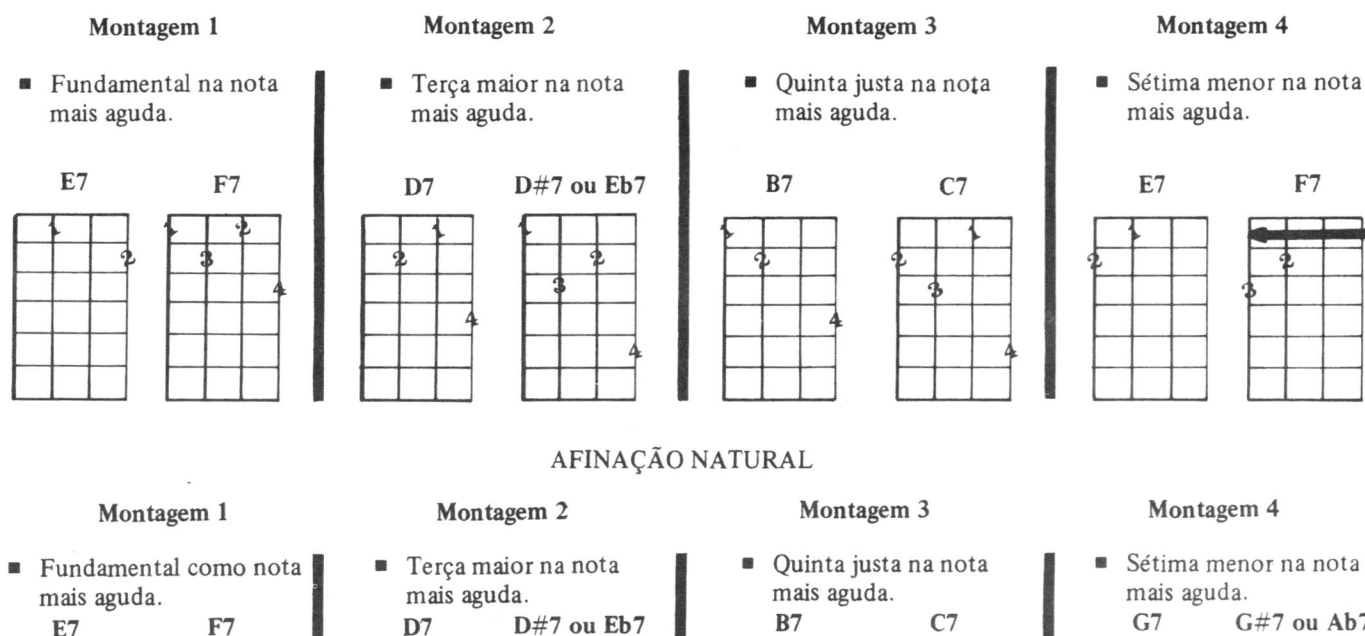

AFINAÇÃO NATURAL

Exercício: Escrever no pentagrama todos os acordes de sétima nas montagens apresentadas, localizando a fundamental, terça maior, quinta justa e a sétima menor.

Observação: É importante notar que a fundamental e a quinta justa, tanto podem ser omitidas quanto duplicadas sem que hajam problemas acústicos. No cavaquinho, na prática, duplica-se terças e até sétimas sem maiores problemas, porém não é aconselhável.

Existem portanto outras formas de montagem dos acordes de sétima da dominante, omitindo-se uma nota e duplicando-se outra, conforme veremos a seguir nos exemplos para as duas afinações.

É bom lembrar que **não** se pode omitir a terça maior nem a sétima menor destes acordes.

AFINAÇÃO TRADICIONAL

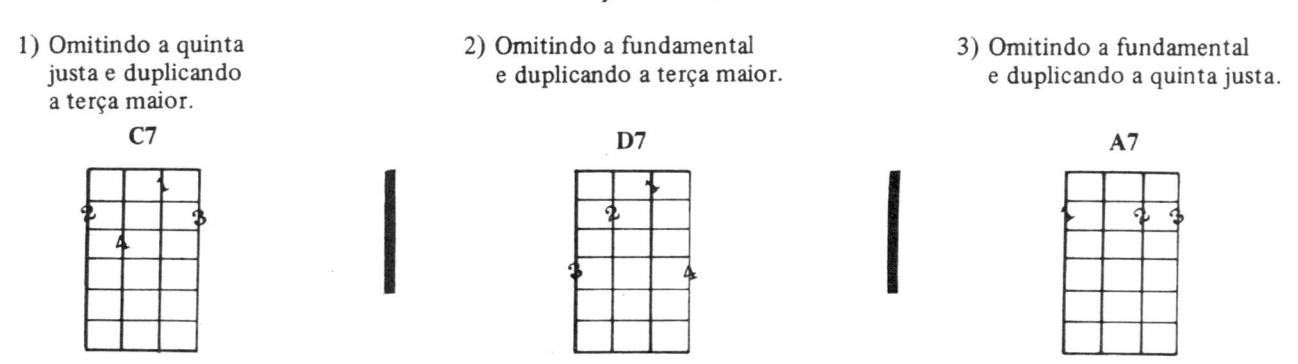

1) Omitindo a quinta justa e duplicando a terça maior.   **C7**

2) Omitindo a fundamental e duplicando a terça maior.   **D7**

3) Omitindo a fundamental e duplicando a quinta justa.   **A7**

AFINAÇÃO NATURAL

1) Omitindo a fundamental e duplicando a quinta justa.

A7

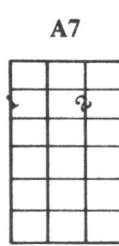

2) Omitindo a fundamental e duplicando a sétima menor.

A7

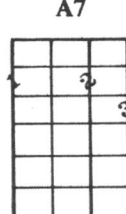

Exercício: Escrever no pentagrama alguns exemplos de acordes de sétima nas montagens em que omitimos uma nota e duplicamos outra. Localizar a fundamental e a quinta justa (se aparecerem), terça maior e sétima menor, bem como a duplicação.

d) Acorde diminuto o ou o^7

Por questões didáticas usa-se o símbolo "o" para representar a tríade diminuta e "o7" para as tétrades. Porém em termos práticos quando temos uma cifra, por exemplo, C^o trata-se de uma tétrade já que a tríade diminuta não é usada.

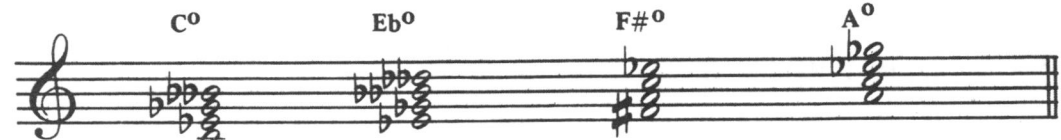

Podemos perceber que os sons que formam estes quatro acordes são os mesmos (mudando apenas a posição das notas), e que a diferença entre estes acordes está no baixo.

Como no cavaquinho o baixo de acorde não existe efetivamente, podemos construir o seguinte quadro prático:

Para o cavaquinho: $C^o \equiv \begin{array}{c} D\#^o \\ ou \\ Eb^o \end{array} \equiv \begin{array}{c} F\#^o \\ ou \\ Gb^o \end{array} \equiv A^o$

$\begin{array}{c} C\#^o \\ ou \\ Db^o \end{array} \equiv E^o \equiv G^o \equiv \begin{array}{c} A\#^o \\ ou \\ Bb^o \end{array}$

$D^o \equiv F^o \equiv \begin{array}{c} G\#^o \\ ou \\ Ab^o \end{array} \equiv B^o$

O sinal $\equiv$ indica a equivalência destes acordes, para o cavaquinho.

Montagem (o nome do acorde diminuto será dado pela nota mais grave).

AFINAÇÃO TRADICIONAL

D^o

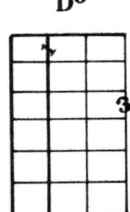

D#^{o} ou Eb^o

Temos ainda uma outra montagem:

F^o

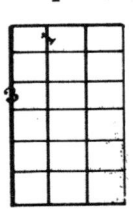

F#^{o} ou Gb^o

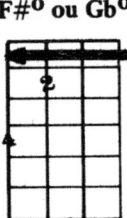

Escola Moderna do Cavaquinho • 25

AFINAÇÃO NATURAL

D°   D#° ou Eb°

Os acordes de sétima diminuta, devido a equivalência mostrada no quadro acima, são elementos chave na condução de um acompanhamento de cavaquinho.

Deve-se utilizar uma montagem de um dos acordes equivalentes, que esteja mais próximo ou sirva melhor de caminho para os acordes seguintes.

VIII – ACOMPANHAMENTO CIFRADO COM OS ACORDES ESTUDADOS (Levando-se em conta a condução harmônica)

Para realizarmos satisfatoriamente um acompanhamento em qualquer instrumento harmônico, é necessário que haja condução, ou seja, que não se mude aleatoriamente da montagem de um acorde à do seguinte, mas que este movimento sugira um caminho lógico, normalmente por graus conjuntos.

Os exemplos que se seguem dão a idéia do que seja um acompanhamento bem conduzido, o que deve ser um objetivo constante. Na prática, o músico recebe acompanhamento cifrado e o realiza de acordo com as possibilidades técnicas do instrumento e seu gosto pessoal.

AFINAÇÃO TRADICIONAL

1. 2/4 | C M3 A7 M1 | Dm M3 Eb° 4c/1c | Em M1 A7 M4 | Dm M2 G7 M1/M4 | C M1 ||

2. 3/4 | G M1 G7 M1 | C M2 | Cm M3 | D7 M3 | ./. | G M4 D7 M2 | G M3 | M1 ||

3. 2/4 | D M2 F#7 M1 | Bm M3 D7 M3 | G M1 A7 M4 | D M2 D7 M2 | G M1 ||
   | G#° C3 | D M3 | B7 M1 | E7 M3 | A7 M1 | D M2 ||

AFINAÇÃO NATURAL

1. 2/4 | C M1 A7 M1 | Dm M3 Eb° 4c | Em M2 A7 M1 | Dm M3 G7 M1/M4 | C M2 ||

2. 3/4 | G M1 G7 M1 | C M3 | Cm M3 | D7 M2 | ./. | G M3 D7 M1 | G M3 | M1 ||

3. 2/4 | D M3 F#7 M1 | Bm M3 D7 M3 | G M1 A7 M4 | D M4 D7 M2 | G M1 G#° 3c ||
   | D M3 | B7 M4 | E7 M3 | A7 M2 | D M1 ||

RITMO BÁSICO

Aos que não têm prática de acompanhamento, sugerimos o ritmo básico abaixo para ser utilizado na parte das seqüências.

Esta "batida", uma das mais utilizadas no choro, pode servir como base para se adquirir firmeza na palhetada.

PARTE 3

I – ARPEJO 2

Os exercícios que se seguem têm o mesmo objetivo dos arpejos 1, só que trabalharemos agora com cordas intercaladas (4ª, 2ª, 3ª, 1ª).

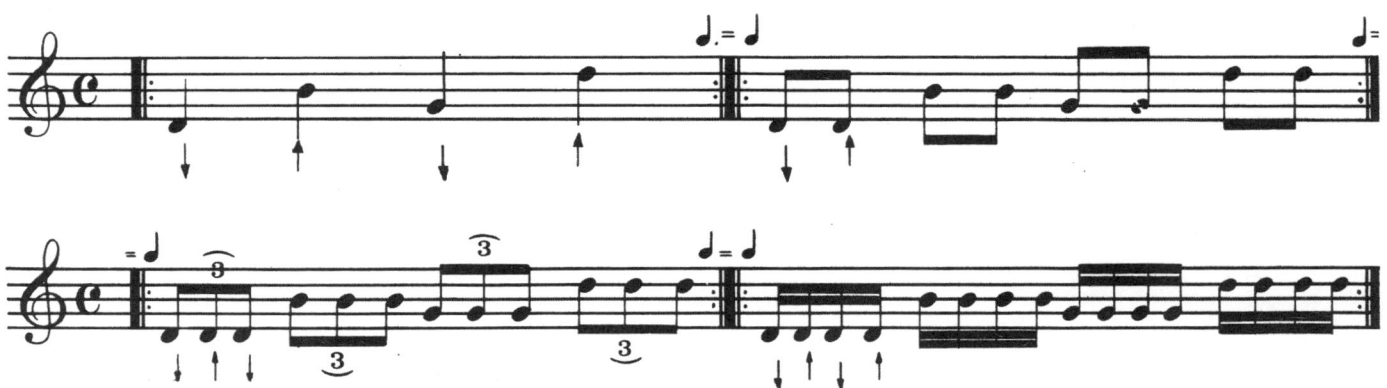

- Escolher um andamento e mantê-lo, do início ao fim do exercício e só passar a um andamento mais rápido quando estiver executando perfeitamente o exercício.
- Observar o sentido da palhetada.
- Para quem usa afinação natural, só muda o 4º tempo dos compassos 4/4, que em vez de Ré serão Mi.

II – MARTELOS DUPLOS

Partindo de uma posição idêntica à usada para o exercício de martelo simples, levantaremos agora dois dedos de cada vez.

- Para tocarmos simultaneamente em duas cordas, usamos a palheta na mais grave e a unha do dedo anular na mais aguda.
- É importante que os dedos se movimentem sincronizados e atinjam uma mesma distância do espelho.
- Para quem usa afinação natural a única alteração é que o dedo 4 em vez de tocar Lá-Ré tocará Si-Mi, mas a posição dos dedos será idêntica.

III – COMBINAÇÕES DE MÃO ESQUERDA

São uma série de exercícios em que realizamos todas as passagens possíveis de dedos da mão esquerda. Partiremos da posição em que os dedos 1, 2, 3 e 4 ocupam quatro casas vizinhas em qualquer corda e região.

1) Começando com o dedo 1:

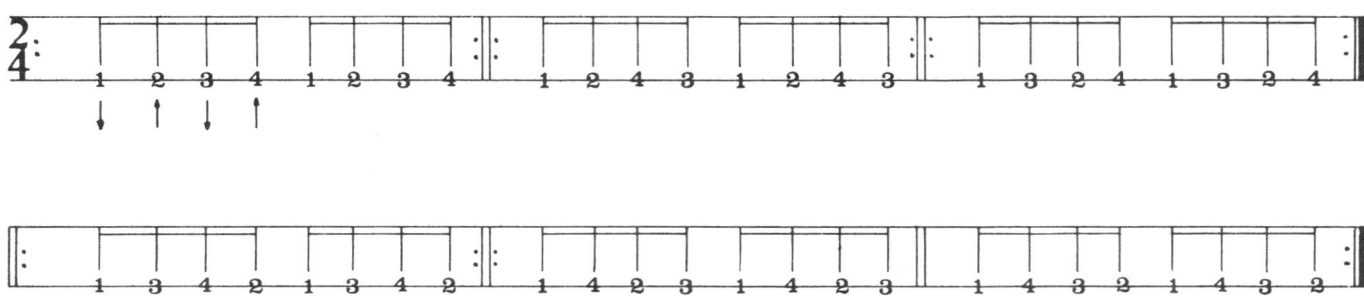

2) Começando com o dedo 2: 2134, 2143, 2314, 2341, 2413, 2431.
3) Começando com o dedo 3: 3124, 3142, 3214, 3241, 3412, 3421.
4) Começando com o dedo 4: 4123, 4132, 4213, 4231, 4312, 4321.

Observações:
- O exercício é válido para qualquer afinação.
- Depois que estiver bem seguro, passe a fazer o mesmo exercício com a seguinte posição dos dedos: 1 – C2; 2 – C4; 3 – C5; 4 – C7 em qualquer corda.

IV – EXERCÍCIOS DE FORTALECIMENTO E INDEPENDÊNCIA DOS DEDOS 3 E 4

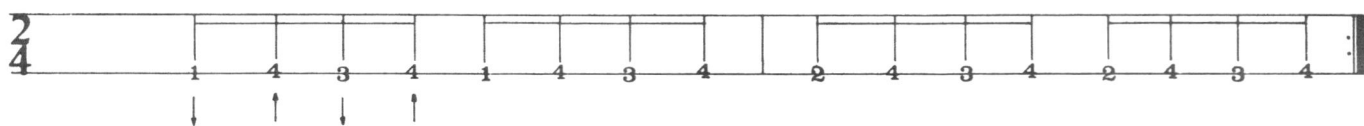

- Com os dedos em casas vizinhas, fazer uma vez o exercício (com repetição) em cada corda.
- Levantar os dedos da mão esquerda o mínimo necessário, sem que eles saiam do arqueamento normal.

V – EXERCÍCIOS COM NOTA FIXA

Nestes exercícios, um dos dedos da mão esquerda se fixa em uma nota sustentada, enquanto os demais atuam em outra corda.

AFINAÇÃO TRADICIONAL

- Idem com ② e ③ , ③ e ④

- Idem com ③ e ②, ② e ①

AFINAÇÃO NATURAL

O exercício tem exatamente a mesma mecânica descrita para a finação tradicional. Só muda a nota da primeira corda. Ex.:

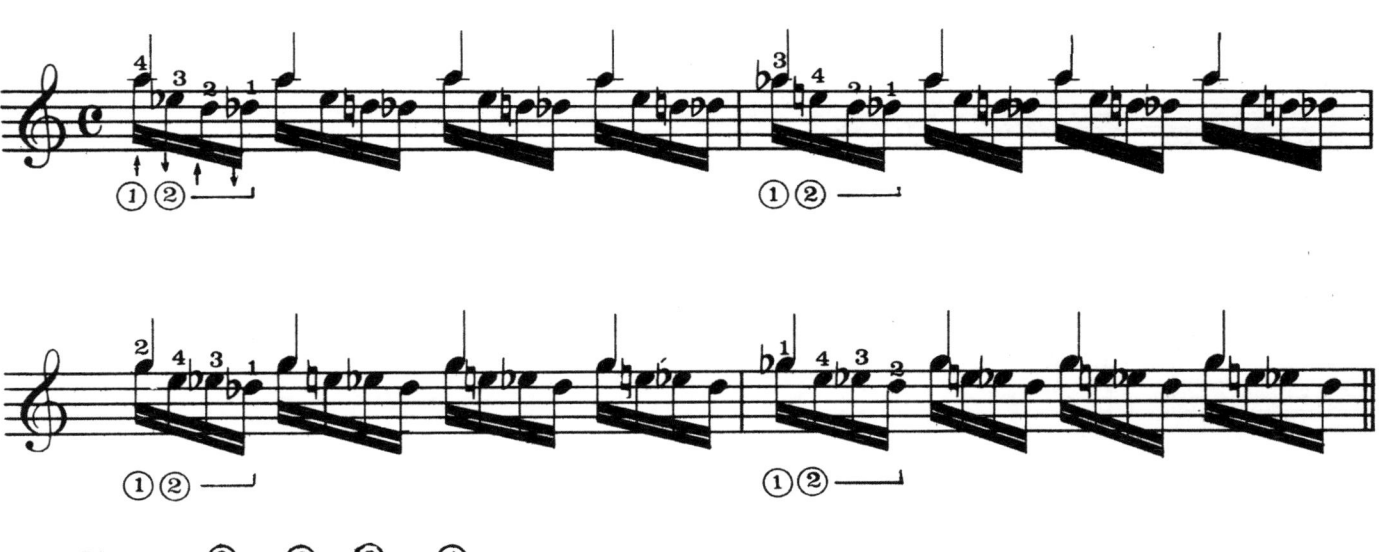

- Idem com ② e ③, ③ e ④

A segunda parte do exercício (ascendente) começa idêntica ao da afinação tradicional e só muda no último compasso, mantendo porém a mecânica.

- É muito importante que a nota fixa tenha a duração indicada.

- Os dedos que se movimentam devem se distanciar o mínimo necessário e não sair do arqueamento normal.

- Observe rigorosamente o sentido da palhetada.

VI – AQUECIMENTO 2

ESCALA CROMÁTICA COM REPETIÇÃO

Assim como a escala cromática simples constitui um valioso exercício de aquecimento, sendo muito usado também por violonistas.

Os pulos ora com o dedo 2 (subindo), ora com o 3 (descendo) na 1ª corda, devem ser executados com perfeição para que não haja quebra no andamento.

AFINAÇÃO TRADICIONAL

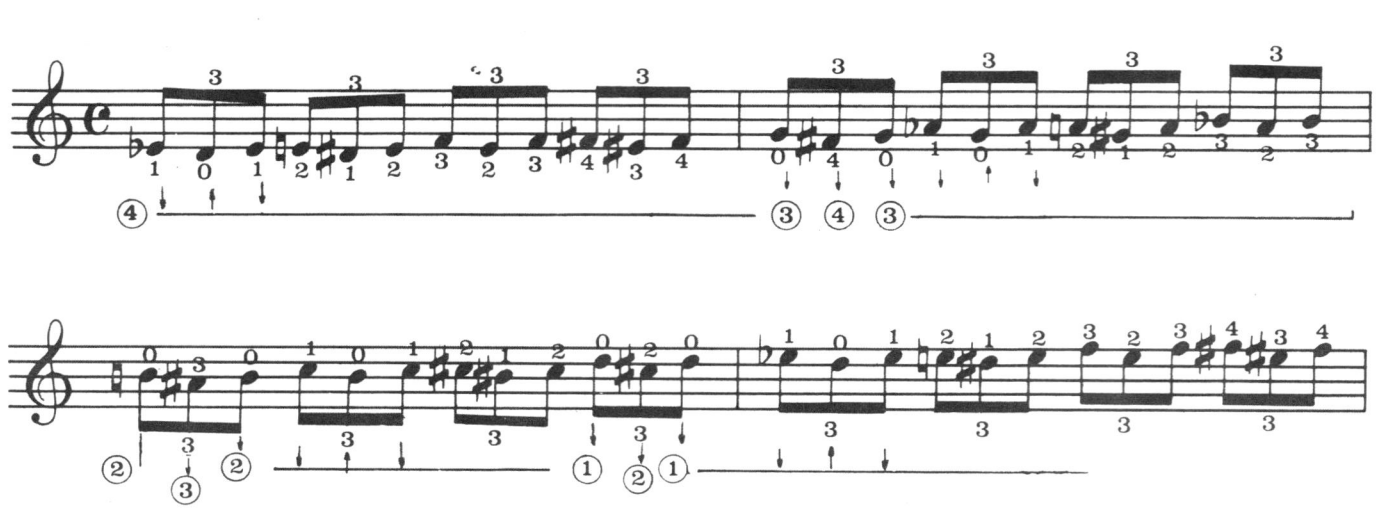

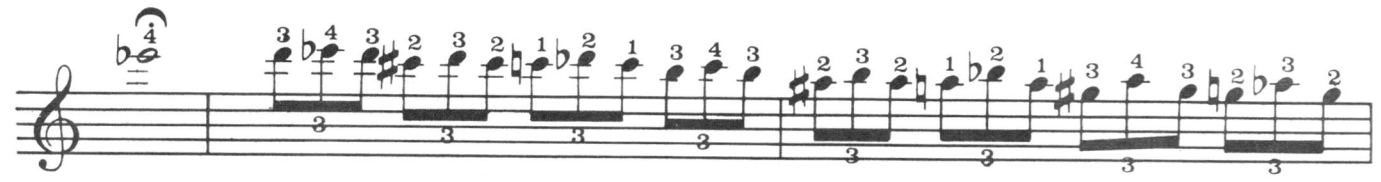

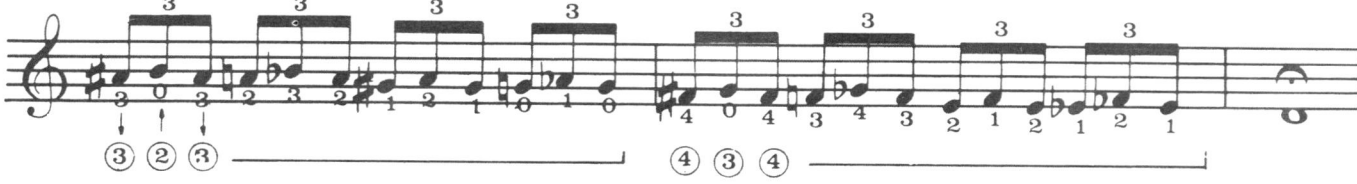

AFINAÇÃO NATURAL

- Quando estamos subindo (em direção ao agudo) e temos um grupo com notas em duas cordas, muda a palhetada para ↓↓↓. Fora estes casos a palhetada é sempre ↓↑↓.
- Devemos escolher um andamento em que a escala seja tocada com perfeição do início ao fim, por mais lento que este seja.

VII – LEITURA MELÓDICA 2

As peças que se seguem e a leitura melódica 1 desenvolvem a leitura com o instrumento. Utilizaremos agora uma extensão maior, figuras de ritmo incluindo semicolcheia e escreveremos a digitação, quando necessária.

AFINAÇÃO TRADICIONAL

1) Minueto — J. S. Bach (1685 – 1750)

2) Pavane — M. Ravel (1875 – 1917)

3) Valsa — H. Cazes

4) Maxixe — H. Cazes

5) Meu Amigo Tom Jobim (trechos) — R. Gnattali (1906)

c)

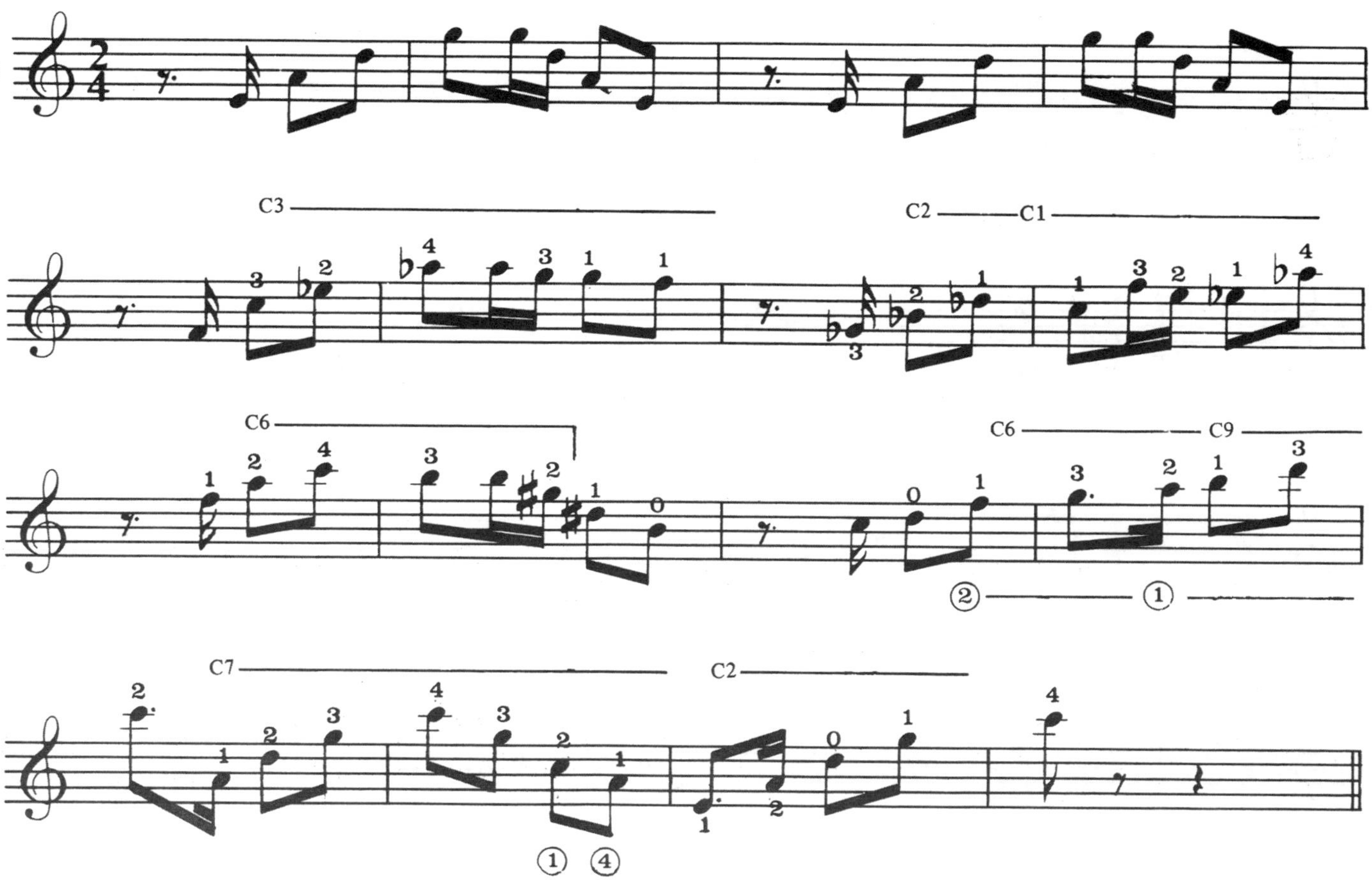

d)

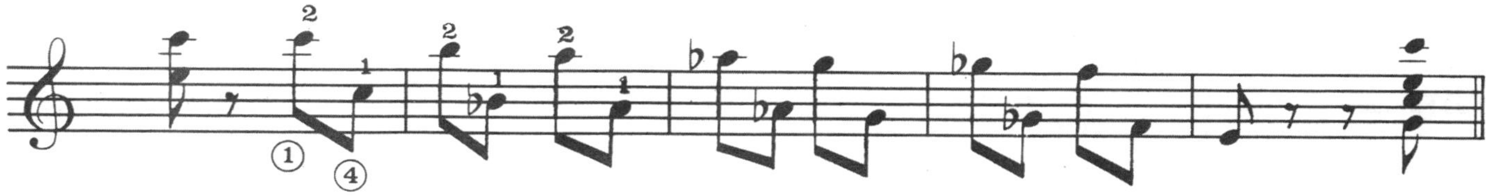

AFINAÇÃO NATURAL

1) Minueto

J. S. Bach (1685– 1750)

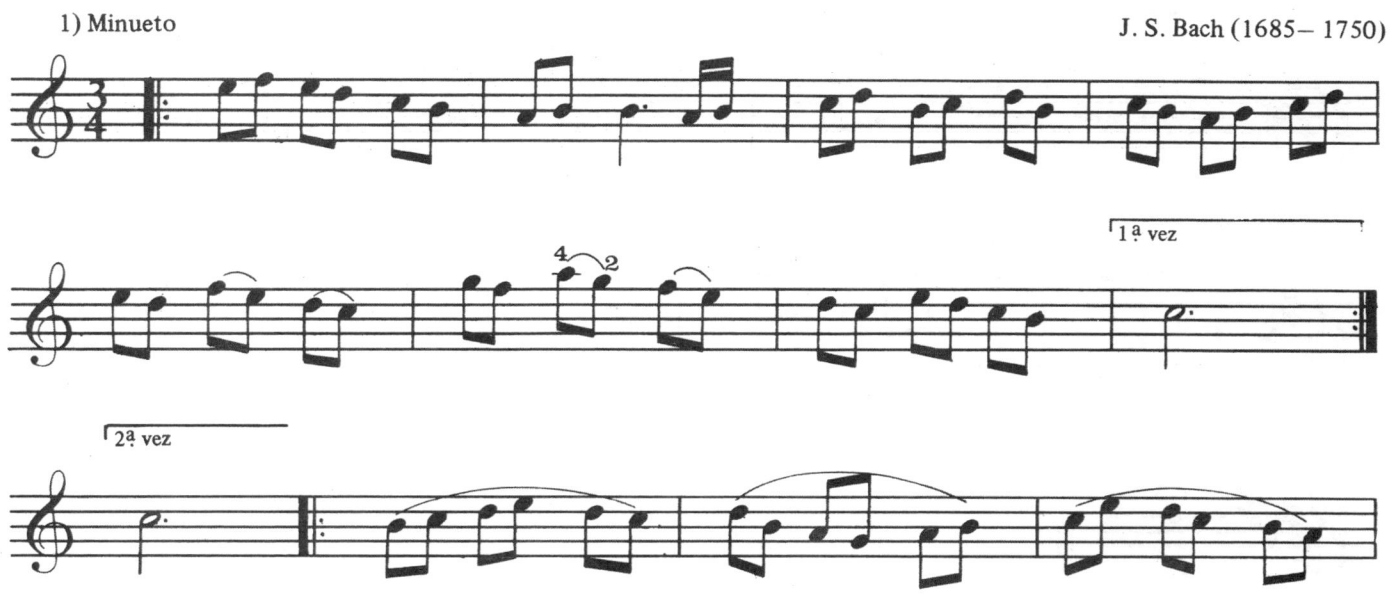

2) Pavane
M. Ravel (1875– 1917)

36 • Henrique Cazes

3) Valsa — H. Cazes

4) Maxixe — H. Cazes

Escola Moderna do Cavaquinho

5) Meu Amigo Tom Jobim R. Gnattali (1906)

VIII – CÉLULAS RÍTMICAS MAIS COMUNS NO ACOMPANHAMENTO DE CAVAQUINHO

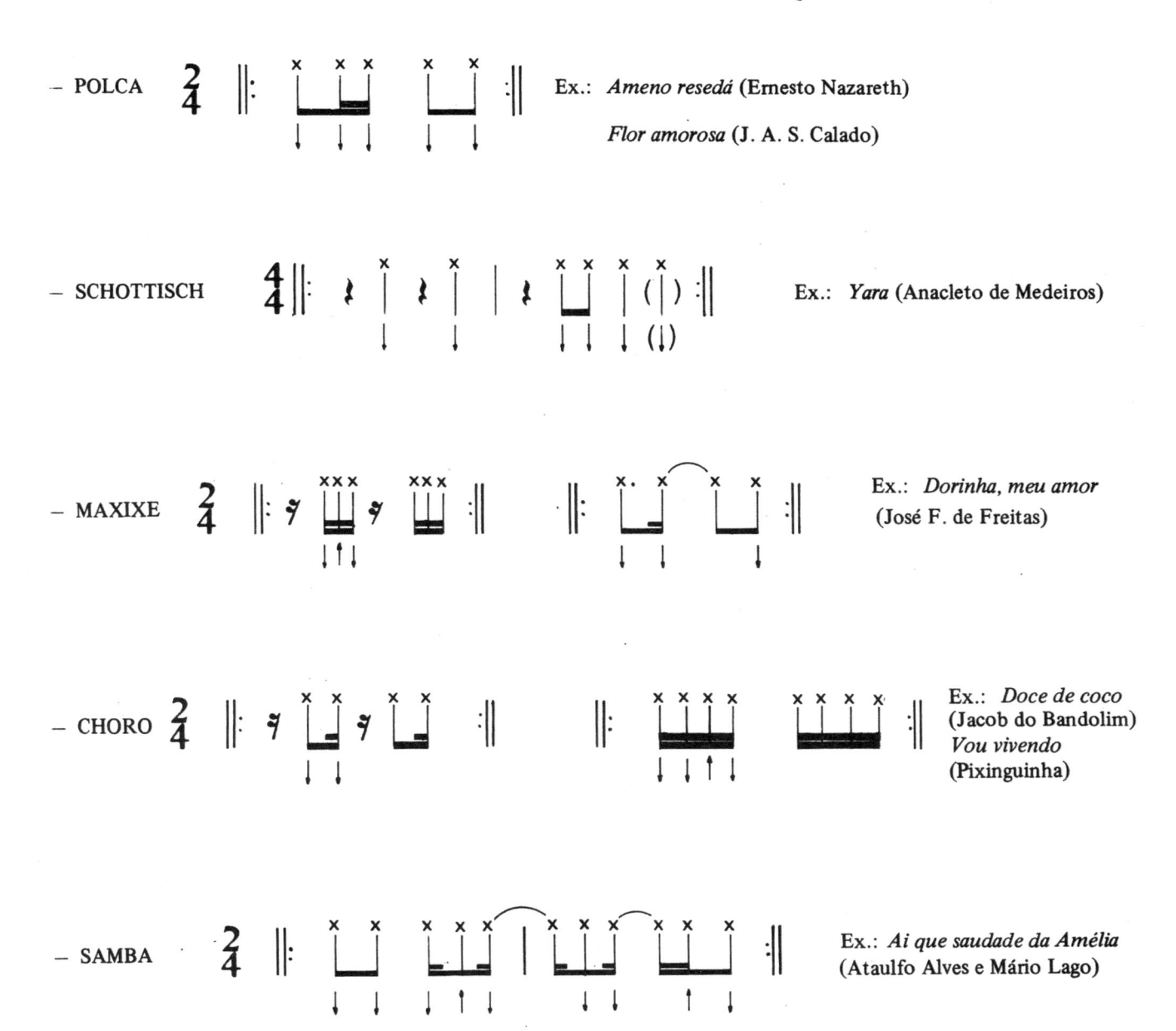

– POLCA   Ex.: *Ameno resedá* (Ernesto Nazareth)
Flor amorosa (J. A. S. Calado)

– SCHOTTISCH   Ex.: *Yara* (Anacleto de Medeiros)

– MAXIXE   Ex.: *Dorinha, meu amor* (José F. de Freitas)

– CHORO   Ex.: *Doce de coco* (Jacob do Bandolim)
Vou vivendo (Pixinguinha)

– SAMBA   Ex.: *Ai que saudade da Amélia* (Ataulfo Alves e Mário Lago)

● O samba é um gênero de música em que se desenvolvem inúmeras "batidas". Podemos considerar como base o ritmo acima.

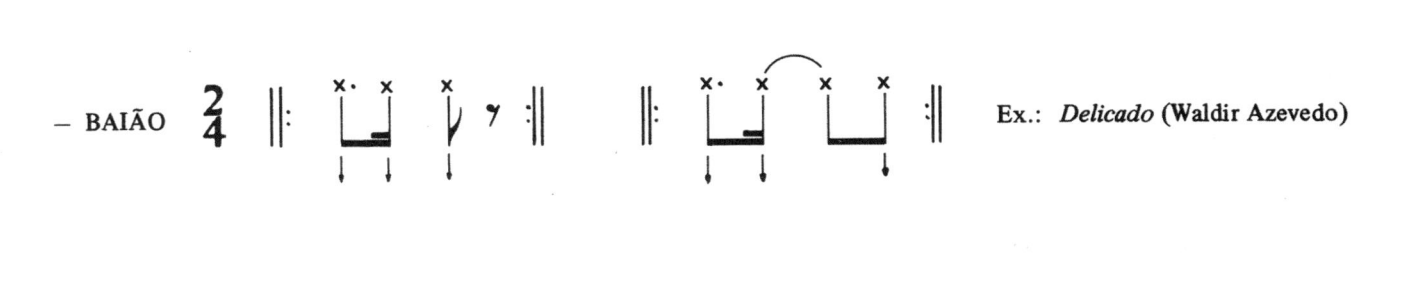

– BAIÃO   Ex.: *Delicado* (Waldir Azevedo)

– FREVO   Ex.: *Gostosão* (Nelson Ferreira)

Escola Moderna do Cavaquinho • 39

– MARCHA

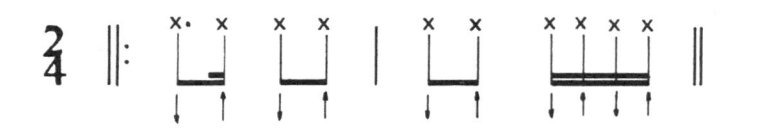

Ex.: *O teu cabelo não nega*
(Lamartine Babo e Irmãos Valença)

– VALSA – Existem diversos tipos dos quais podemos citar:

VALSA BRASILEIRA TRADICIONAL

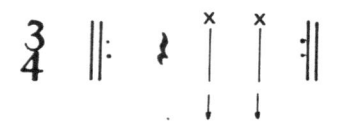

Ex.: *Branca* (Zequinha de Abreu)

VALSA TIPO ESPANHOLA

Ex.: *Santa morena* (Jacob do Bandolim)

VALSA TIPO FRANCESA

Ex.: *Das rosas...* (Dorival Caymmi)

O xote ou xótis, encontrado na música nordestina, é bem diferente do Schottisch que veio para o Brasil no século passado e praticamente não é mais executado. O xote é binário e poderia ser resumido:

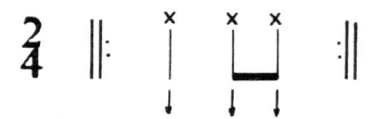

IX – ACORDES NO CAVAQUINHO 2

– ACORDES MAIORES E MENORES COM SEXTA

São acordes de quatro sons, que além das notas que formam as tríades maiores ou menores, têm a nota da sexta maior.
a) Acorde com sexta
As montagens mais comuns destes acordes no cavaquinho são aquelas em que a nota da sexta aparece como a mais aguda, embora existam outras que soem bem.

AFINAÇÃO TRADICIONAL
(tendo a sexta como nota mais aguda)

F6 **F#6**   **G6** **G#6**

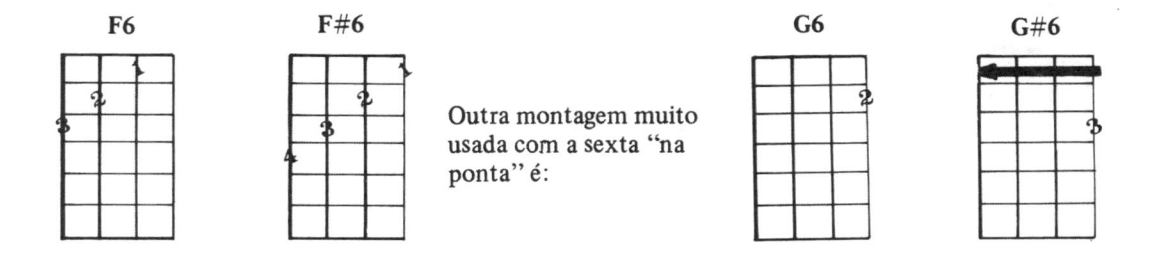

Outra montagem muito usada com a sexta "na ponta" é:

- Observe que o resultado sonoro destas duas montagens são bem distintos e isto se deve ao fato de que na primeira a quinta justa e a sexta aparecerem na mesma oitava, e na segunda não.
- Existe outra montagem bastante usada em que a quinta justa e a sexta aparecem numa mesma oitava, mas não como notas mais agudas. Esta montagem cobre a região do **D6** até **G6**, que ainda não havia sido coberta.

D6 **D#6**

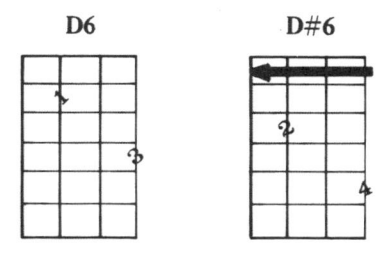

- É comum aos que usam a afinação tradicional, utilizar o relativo menor em vez do acorde com sexta, como por exemplo:

    Em   M2   em vez de **G6**.

    Este procedimento embora muito divulgado, empobrece a harmonia pelo fato do acorde aparecer incompleto (o **G6** aparece sem a quinta justa) e elimina o intervalo de segunda maior entre a quinta justa e a sexta que soa tão bem na região do cavaquinho.

AFINAÇÃO NATURAL

Tendo a sexta como nota mais aguda.

G6 **G#6**

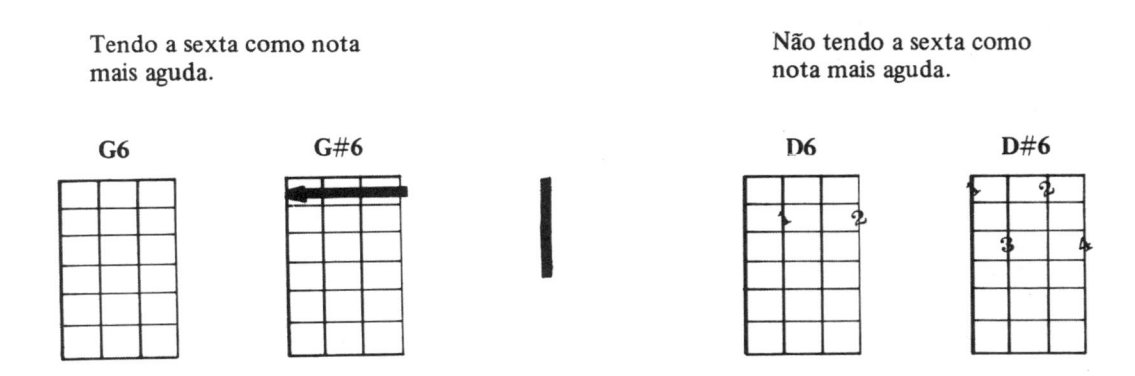

Não tendo a sexta como nota mais aguda.

D6 **D#6**

b) Acordes menores com sexta **m6**

As montagens de melhor resultado sonoro neste caso, diferentemente dos acordes maiores com sexta, são aqueles em que a sexta **não** aparece como nota mais aguda.

AFINAÇÃO TRADICIONAL

Fm6 **F#m6**   **Dm6** **D#m6**   **Bbm6** **Bm6**

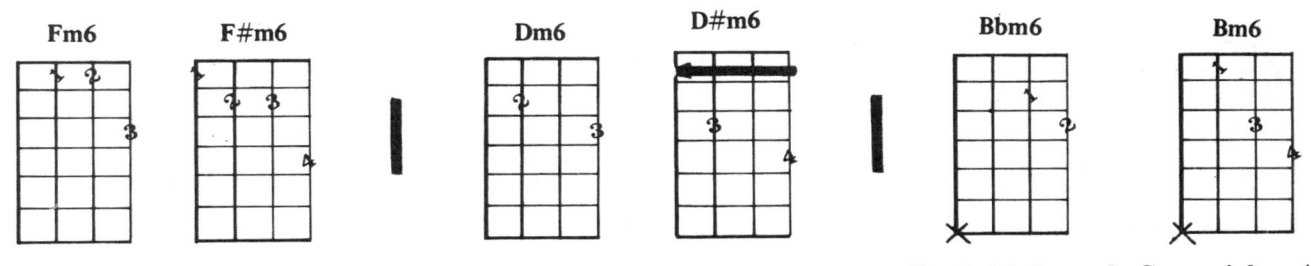

Escola Moderna do Cavaquinho • 41

AFINAÇÃO NATURAL

Fm6 **F#m6** **Bbm6** **Bm6**

Exercício: Escrever no pentagrama todas as montagens dos acordes com sexta, apresentadas, localizando a fundamental, terça, quinta e sexta.

c) Acorde de sétima e quarta $\frac{7}{4}$

Também chamado acorde "sus 4", ou seja, com a quarta suspensa, é um acorde que não contém terça, e que na maioria das vezes passa pelo acorde de sétima da dominante (com a mesma fundamental) para depois resolver.

Ex.: $\frac{2}{4}$) G_4^7 $G7$ | C ||

AFINAÇÃO TRADICIONAL

E_4^7 F_4^7 A_4^7 $A\#_4^7$

AFINAÇÃO NATURAL

D_4^7 $D\#_4^7$ A_4^7 $A\#_4^7$

d) Acorde de sétima com quinta diminuta
Estes acordes possuem algumas peculiaridades, observemos:

Vemos que os quatro sons que formam o primeiro acorde são os mesmos quatro sons que formam o segundo acorde, devido à simetria de intervalos.

Lembrando que no cavaquinho não existe a nota do baixo, podemos montar o seguinte quadro:

PARA CAVAQUINHO:

C7(b9) ≡ F#7(b5);   F7(b5) ≡ B7(b5)
D7(b5) ≡ G#7(b5)   G7(b5) ≡ C#7(b5)
E7(b5) ≡ A#7(b5)   A7(b5) ≡ D#7(b5)

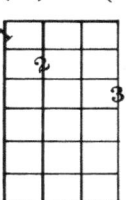

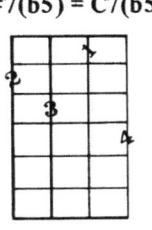

AFINAÇÃO TRADICIONAL

F7(b5) = B7(b5)   F#7(b5) = C7(b5)

AFINAÇÃO NATURAL

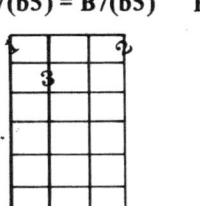

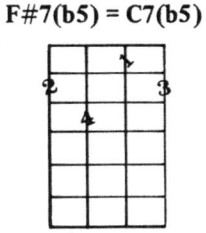

F7(b5) = B7(b5)   F#7(b5) = C7(b5)

e) Acorde de sétima com quinta aumentada 7(#5)

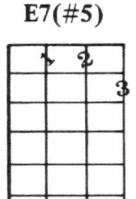

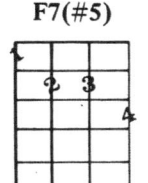

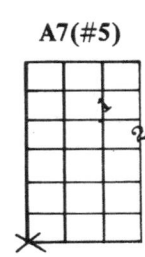

AFINAÇÃO TRADICIONAL

E7(#5)   F7(#5)   A7(#5)   A#7(#5)

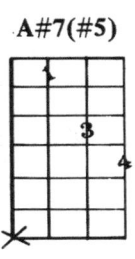

AFINAÇÃO NATURAL

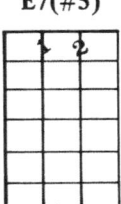

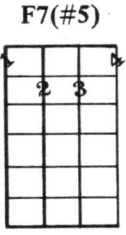

E7(#5)   F7(#5)   A7(#5)   A#7(#5)

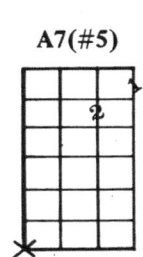

Os acordes de sétima com quinta diminuta ou aumentada pertencem à classe dos acordes dominantes alterados, diferindo na alteração da quinta, embora estejam associados a uma mesma escala (a escala hexafônica ou de tons inteiros). Cabe ainda observar que estes acordes não possuem quinta justa.

f) Acorde menor com sétima m7
Observemos um exemplo de acorde menor com sétima:

Am7

Vemos que se eliminarmos a fundamental (o que é perfeitamente aceitável no cavaquinho), resta-nos a tríade C.

Concluimos que o acorde menor com sétima pode ser substituído pelo relativo maior, principalmente quando se toca junto com instrumentos que atingem as notas de baixo (violão, piano, etc...).

Além da opção de troca pelo relativo maior, podemos utilizar montagens completas derivadas das quatro apresentadas para o acorde maior com sétima.

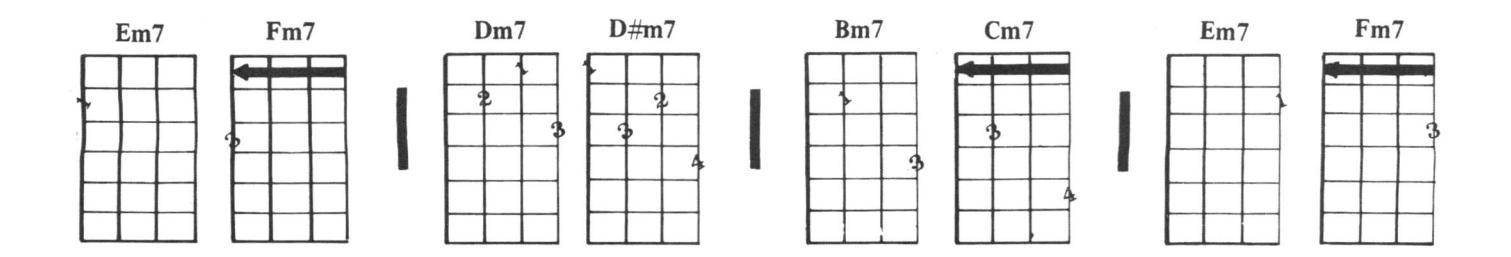

[Chord diagrams: Em7, Fm7, Dm7, D#m7, Bm7, Cm7, Em7, Fm7]

AFINAÇÃO NATURAL

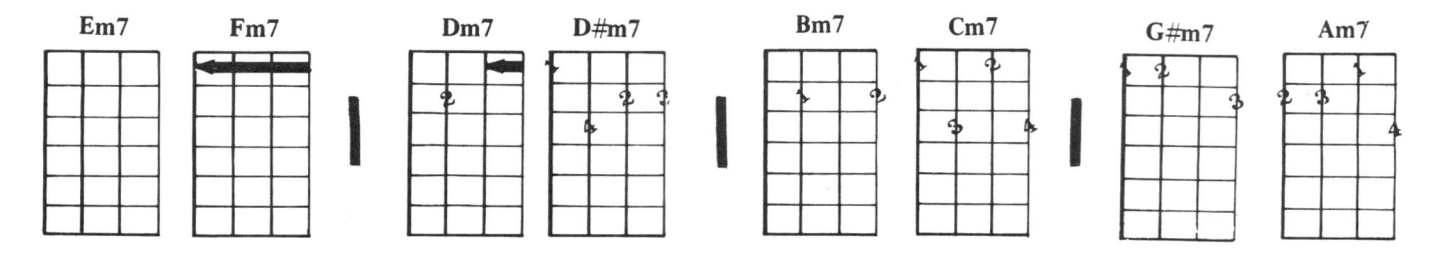

[Chord diagrams: Em7, Fm7, Dm7, D#m7, Bm7, Cm7, G#m7, Am7]

É bom observar que estas montagens coincidem com as do relativo maior com sexta.

g) Acordes menores com sétima maior **m(7M)**
Aparecem constantemente em passagens do tipo: $\frac{2}{4}$) Am | Am(7M) | Am7 | etc.
E devemos portanto usar montagens em que fique realçado do caimento da sétima, como por exemplo: (na afinação tradicional).

A nota mais aguda descendo

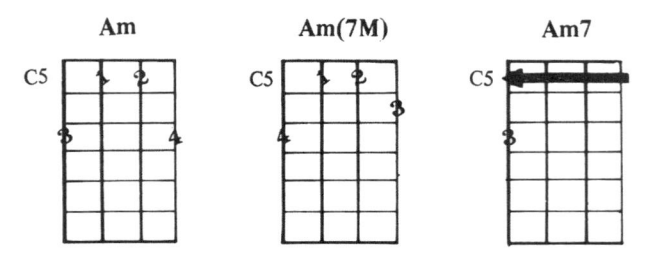

[Chord diagrams: Am, Am(7M), Am7 — all at C5]

ou a nota mais grave descendo.

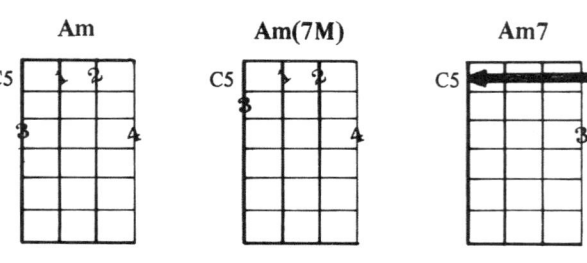

[Chord diagrams: Am, Am(7M), Am7 — all at C5]

De qualquer forma o que importa é que haja condução.

Partindo das quatro montagens completas do acorde menor com sétima e elevando a sétima meio tom temos as opções para o acorde menor com sétima maior.

h) Acorde menor com sétima e quinta diminuta **m7(b5)**
É de bastante uso na música tonal e podemos observar o seguinte:

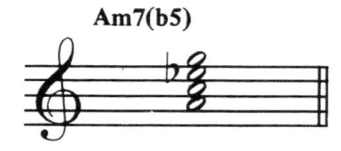

Am7(b5)
[musical notation]

Se colocarmos a fundamental como a nota mais aguda passaremos a ter: [musical notation]

que vem a ser o acorde **Cm6**. Podemos então montar o seguinte quadro:

PARA O CAVAQUINHO:

Am7(b5) ≡ **Cm6**	**Cm7(b5)** ≡ **Ebm6**	**D#m7(b5)** ≡ **F#m6**	**F#m7(b5)** ≡ **Am6**
A#m7(b5) ≡ **C#m6**	**C#m7(b5)** ≡ **Em6**	**Em7(b5)** ≡ **Gm6**	**Gm7(b5)** ≡ **Bbm6**
Bm7(b5) ≡ **Dm6**	**Dm7(b5)** ≡ **Fm6**	**Fm7(b5)** ≡ **Abm6**	**G#m7(b5)** ≡ **Bm6**

Existe ainda a opção de simplesmente suprimir a fundamental restando uma tríade menor, ou seja: **Am7(b5)** → **Cm**.
Esta opção é válida principalmente quando se toca junto com um instrumento que toque a nota do baixo (violão, piano, etc.).

i) Acordes com sétima maior **7M**

AFINAÇÃO TRADICIONAL

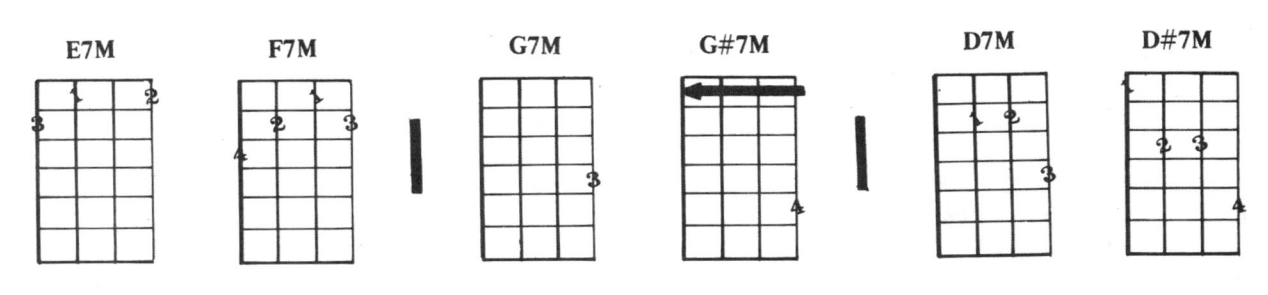

E7M   F7M   G7M   G#7M   D7M   D#7M

AFINAÇÃO NATURAL

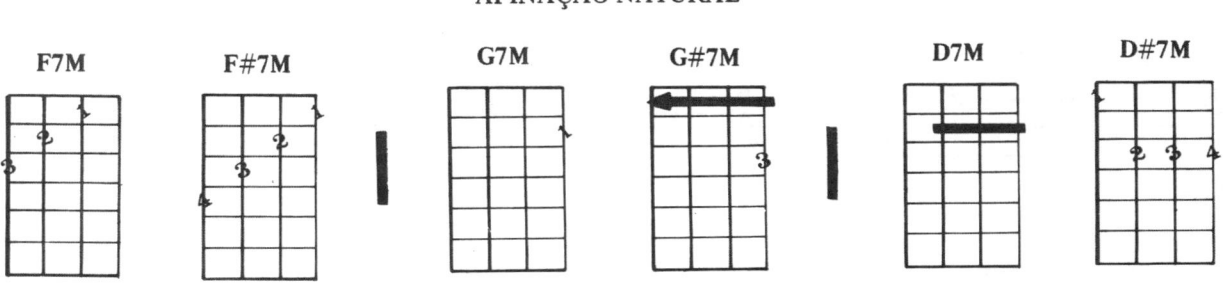

F7M   F#7M   G7M   G#7M   D7M   D#7M

- É muito comum os acordes de **7M** aparecerem cifrados **maj7** ou **7+** em algumas publicações.

PARTE 4

I – ARPEJO 3

– EXERCÍCIOS PREPARATÓRIOS PARA ESTUDO DE ARPEJOS

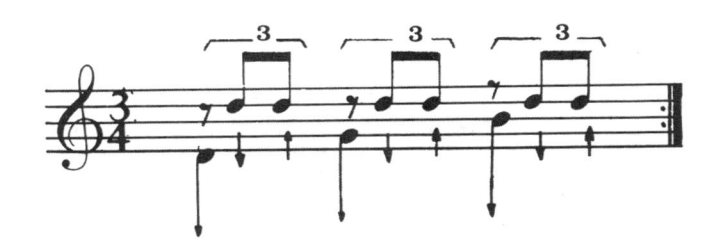

Começar com as cordas soltas (como está escrito) e a medida em que for conseguindo segurança, acelerar até ♩ = 80. Daí então escolher uma seqüência harmônica qualquer para sincronizar o arpejo com a troca de acordes.

Ex.: $\frac{2}{4}$) **Em** | **B7** | **Em** | **D7** | **G** | **B7** :||

Quando a troca estiver saindo perfeita, colocar o cavaquinho na afinação natural (para obter maior extensão) e iniciar a preparação da peça que se segue:

ESTUDO DE ARPEJOS Nº 1, EM MI MENOR
PARA CAVAQUINHO SOLO

Henrique Cazes
Rio – 1982

símile sempre

rubato

HC 12.

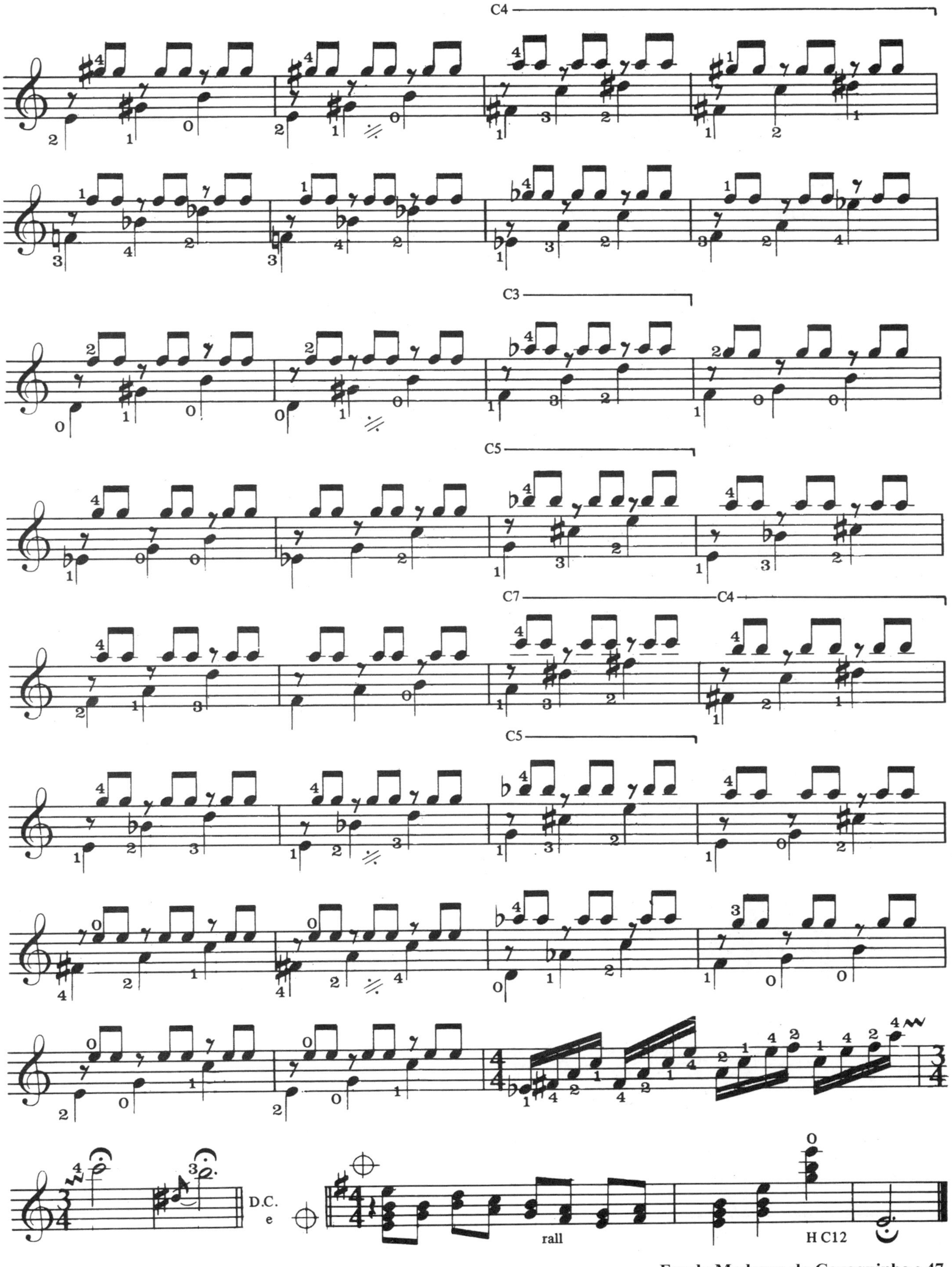
C4
C3
C5
C7
C4
C5
D.C.
e
rall
H C12

II – EXERCÍCIOS DE FORTALECIMENTO E INDEPENDÊNCIA DOS DEDOS 3 e 4 (Continuação)

Trata-se do mesmo movimento visto no capítulo anterior, só que agora os dedos ficarão mais espaçados. Começando na quarta corda:

– 1, C2 | 2, C4 | 3, C5 | 4, C7   (posição dos dedos)
Uma vez o exercício, passa para a terceira, etc.

– 1, C4 | 2, C5 | 3, C7 | 4, C8
Uma vez em cada corda e muda.

III – SUGESTÃO DE TÉCNICA MÍNIMA DIÁRIA

É uma forma lógica de organizarmos os exercícios de técnica do método, de forma a montar um circuito eficiente.
1. Arpejos 1
2. Martelo simples
3. Escala cromática – 2 oitavas (5 vezes)
4. Martelos duplos
5. Arpejos 2
6. Escala cromática com repetição (5 vezes)
7. Combinações de mão esquerda
8. Exercício com nota fixa
9. Escalas (a vontade)
10. Estudo de Arpejo nº 1 (com exercício preparatório)
11. Exercícios de fortalecimento e independência dos dedos 3 e 4 (nas três posições dadas)

IV – EFEITOS

a) *Pizzicato* – Se obtém abafando as cordas sobre o rastilho com a parte lateral da mão direita, conforme vemos na ilustração abaixo.

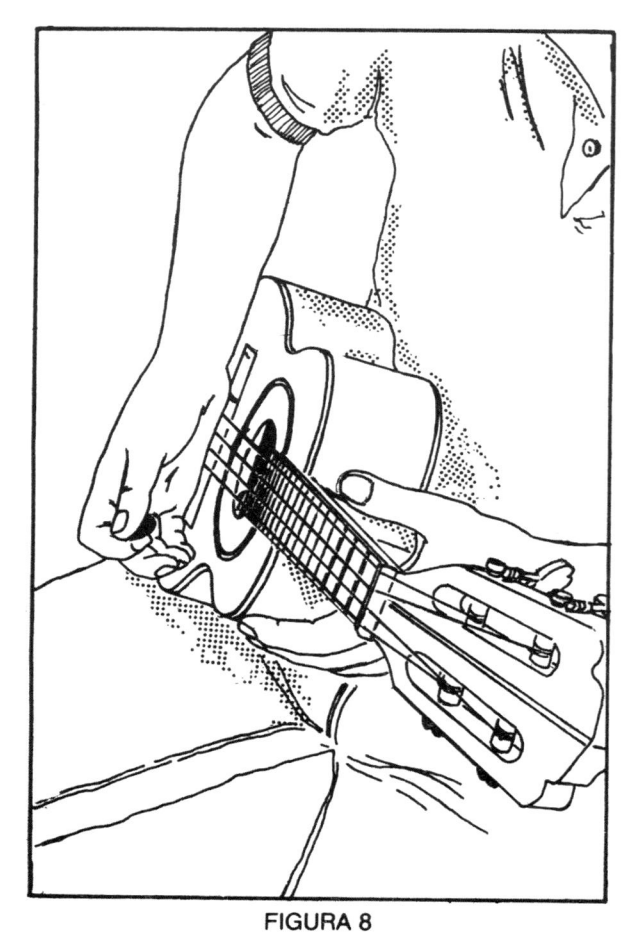

FIGURA 8

- O trecho a ser tocado em pizzicato normalmente aparece com a abreviatura *PIZZ*.

- É um efeito que funciona muito bem, em qualquer região do cavaquinho.

b) *Trêmolo* – É a repetição rápida de um som, para dar a impressão de continuidade. Como é muito comum no bandolim (que tem cordas duplas justamente por isso) o trêmolo se popularizou entre os solistas de cavaquinho, sendo muitas vezes de péssimo gosto. Uma forma de estudar o trêmolo é ir aumentando gradativamente o número de palhetadas numa mesma nota.

Ex.:

ALTERNANDO SEMPRE O SENTIDO DA PALHETADA

As notas em trêmolo normalmente são riscadas três vezes na haste.

c) *Harmônicos* – Assim como no violão, aparecem no cavaquinho dois tipos de harmônicos: os simples e os oitavados.

Os harmônicos simples são obtidos na quinta, sétima e décima segunda casas, abafando-se levemente a corda a ser tocada. Normalmente são representados por:

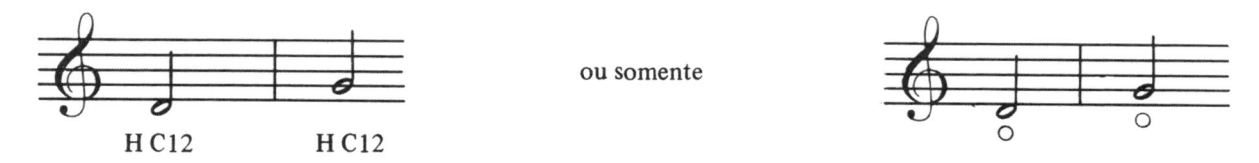

H C12   H C12   ou somente

Os harmônicos oitavados são obtidos abafando-se a corda a ser tocada com o indicador da mão direita, exatamente sobre o traste da casa correspondente a uma oitava acima da nota que queremos tocar, conforme a figura:

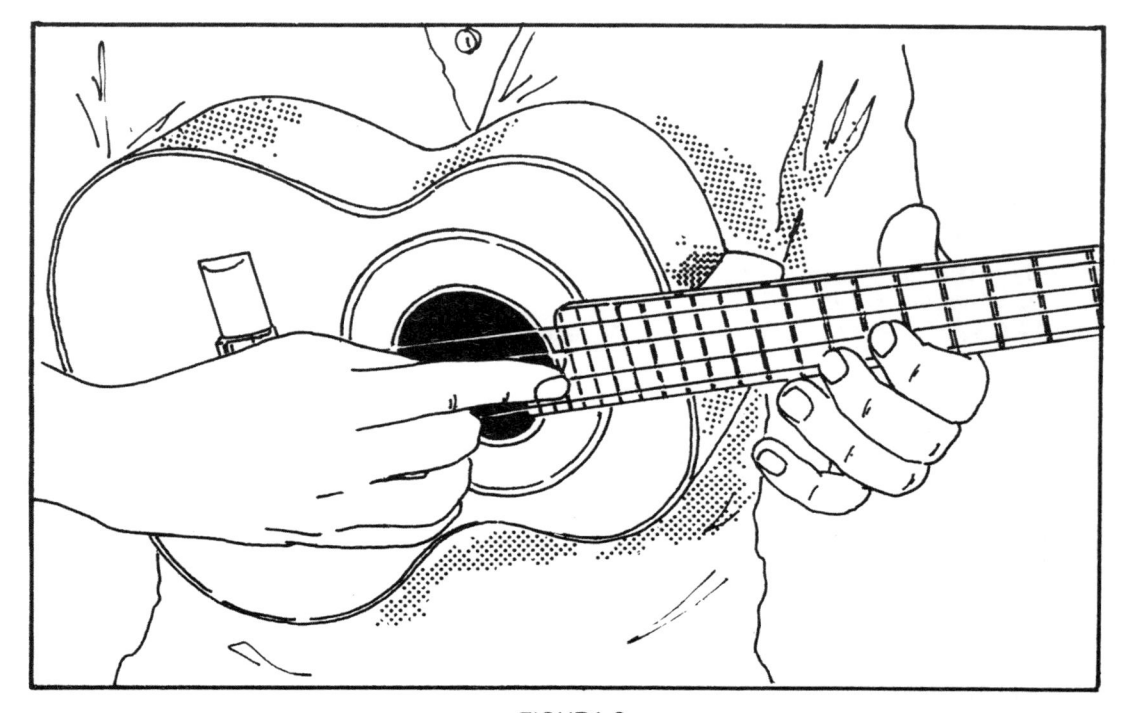

FIGURA 9

São normalmente representados por:

d) *Segundas Menores* — É um efeito muito usado principalmente no acompanhamento de samba, podemos exemplificar com o trecho:

Normalmente este efeito não é indicado, ficando a gosto do executante.

V — REGRAS BÁSICAS DE DIGITAÇÃO NO CAVAQUINHO

a) Não devemos tocar duas notas consecutivas com o mesmo dedo, a não ser que atinjamos a segunda nota por arraste (na mesma corda que a primeira) ou que seja uma terminação (como a Escala Cromática vista no Estágio 1 na afinação tradicional).

b) A prática de se armar uma pestana para solar certo trecho, tão comum no violão, não funciona bem no cavaquinho.

c) Quando for necessário "pular", para trocar de região, devemos verificar se existe no trecho a ser tocado corda solta, o que facilita o "pulo".

d) Em caso de não haver corda solta devemos dar preferência aos pulos que caiam no tempo forte e normalmente com o dedo 1.

e) Na região mais aguda devemos usar os dedos mais espaçados, afim de alcançarmos da sexta a décima segunda casa sem necessidade de "pulos".

f) Na região acima da décima segunda casa devemos usar os dedos 1, 2 e 3, evitando o dedo 4.

VI — LEITURA MELÓDICA 3

O músico que atinge este estágio certamente está apto a executar um repertório de solos. Como não há espaço para publicar estas partes, apresentamos uma listagem adequada a cada afinação ou a ambas.

Anacleto de Medeiros — *Medrosa* — polca — **Dm**
    Terna saudade — valsa — **G**
Avena de Castro — *Evocação a Jacob* — **Dm**
Benedito Costa — *Primeiro estudo*
Bonfíglio de Oliveira — *Amor não se compra* — choro — **G**
Calado, J. A. S. — *Flor amorosa* — polca — **D**
Garoto — *Vamos acabar com o baile* — choro — **Am**
    Meditando — choro — **F** (afinação natural)
Henrique Cazes — *Desengomando* — choro — **G**
    Mitsuru do cavaco — choro — **C**
    Estudo de arpejos nº 1 — **Em**
Hermeto Paschoal — *Vocês me deixem ali e seguem no carro* — choro (afinação natural)
    Chorinho pra ele — **G**
Honorino Lopes — *Língua de preto* — choro — **C** (afinação natural)

Jacob do Bandolim — *Benzinho* — choro — **Dm**
    Doce de coco — choro — **G**
    Noites cariocas — choro — **G**
    Nosso romance — choro — **C**
    Santa morena — valsa — **Em**
    Vôo da mosca — valsa — **C** (afinação natural)
K-Ximbinho — *Eu quero é sossego* — choro — **Am** (afinação natural) **Gm** (afinação tradicional)
Luiz Americano — *Numa seresta* — choro — **G**
    Sorriso de cristal — choro — **C**
Nelson Alves — *Nem ela... nem eu...* — choro — **Dm**
Paulinho da Viola — *Beliscando* — choro — **Dm**
Paulinho da Viola e Fernando Costa — *Choro negro* — **Gm**
    Oração de outono — choro — **Bb**

Pixinguinha — *Carinhoso* — choro — **C**
    Chorei — choro — **F**
    Cochichando — choro — **Dm**
    Lamentos — choro — **D**
    Naquele tempo — choro — **Dm**
    Os cinco companheiros — choro — **Em**

       Os oito batutas – maxixe – **G**
       Um a zero – choro – **C**
       Vou vivendo – choro – **G**
Radamés Gnattali – *Remexendo* – choro – **D**
       Variações sem tema para cavaquinho e piano
Rubens Leal Brito – *Modulando* – choro – **C** (afinação natural)
Severino Araújo – *Um chorinho em aldeia* – choro – **C** (afinação natural)
Silva Torres (Jacaré) – *Galho seco* – baião – **Gm**
       Jacaré de saiote – frevo – **Dm**
Waldir Azevedo – *Brasileirinho* – choro – **G** (afinação tradicional) **A** (afinação natural)
       Camundongo – choro – **G**
       Carioquinha – choro – **Dm**
       Choro novo em dó – **C**
       Delicado – baião – **G**
       Pedacinho do céu – choro – **G**
       Queira-me bem – choro – **G**
       Um cavaquinho em serenata – choro – **Dm**
Waldir Azevedo e Otaviano Pitanga – *Vê se gostas* – choro – **G**
Zequinha de Abreu – *Tico-tico no fubá* – choro – **Em**

VII – ACORDES NO CAVAQUINHO 3

- Neste tópico apresentaremos os acordes de mais de quatro notas em que teremos que omitir uma ou mais notas, de preferência a fundamental e/ou a quinta justa.

a) Acorde de sétima com nona **7(9)**
Os dois tipos de montagens mais comuns são:

AFINAÇÃO TRADICIONAL

Eb7(9)   E7(9)   Bb7(9)   B7(9)

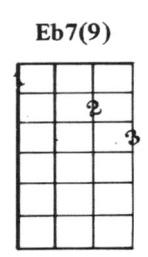

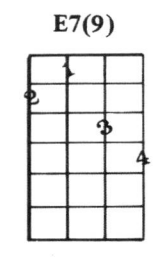

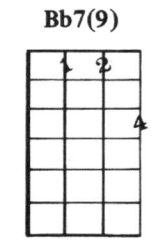

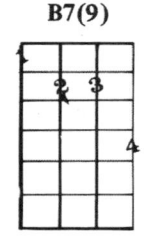

AFINAÇÃO NATURAL

Eb7(9)   E7(9)   Bb7(9)   B7(9)

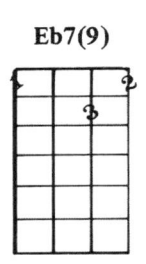

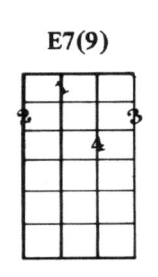

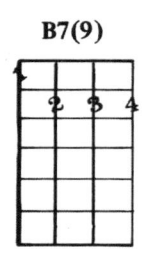

- Podemos observar que nas primeiras montagens omitimos a quinta justa enquanto nas segundas omitimos a fundamental.

b) Acorde de sétima com nona menor **7(b9)**
Podemos observar que: C7(b9)   E°

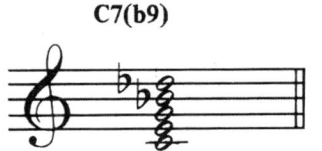

omitida a fundamental

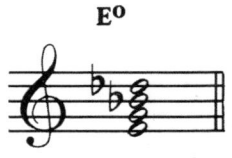

Assim sendo, as montagens dos acordes **7(b9)** serão as mesmas dos acordes diminutos.
Para o cavaquinho: **C#7(b9) ≡ F°** (ou equivalente)
                    D7(b9) ≡ F#°

c) Acorde de sétima com nona aumentada **7(#9)**

AFINAÇÃO TRADICIONAL   AFINAÇÃO NATURAL

Eb7(#9)   E7(#9)   Bb7(#9)   B7(#9)   Eb7(#9)   E7(#9)   Bb7(#9)   B7(#9)

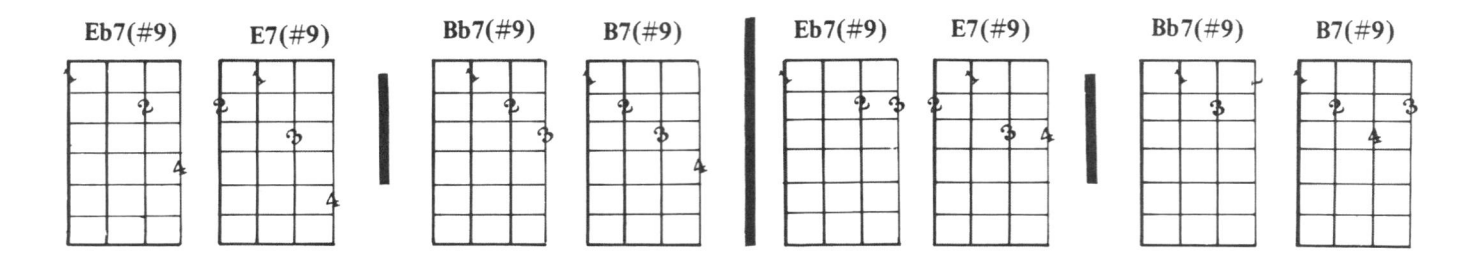

d) Acorde com sétima maior e nona **7M(9)**

AFINAÇÃO TRADICIONAL   AFINAÇÃO NATURAL

G7M(9)   G#7M(9)   Eb7M(9)   E7M(9)   G7M(9)   G#7M(9)   Eb7M(9)   E7M(9)

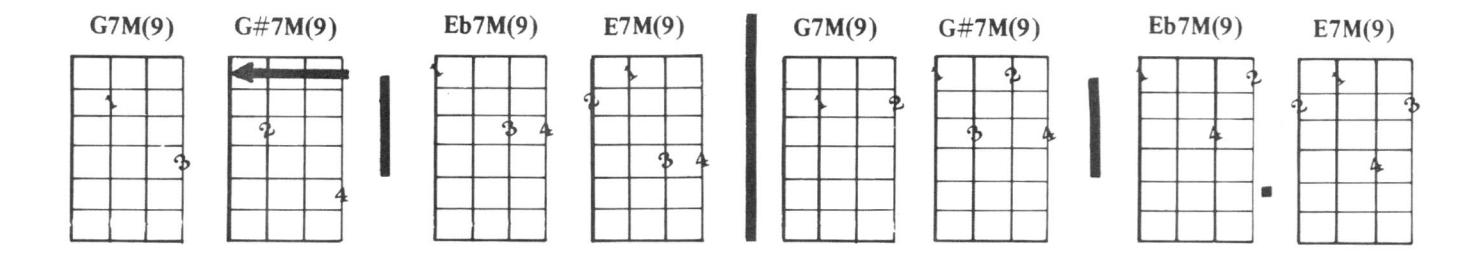

e) Acorde com nona adicionada **add9**

AFINAÇÃO TRADICIONAL   AFINAÇÃO NATURAL

Bb(add9)   B(add9)   G(add9)   G#(add9)   Bb(add9)   B(add9)   G(add9)   G#(add9)

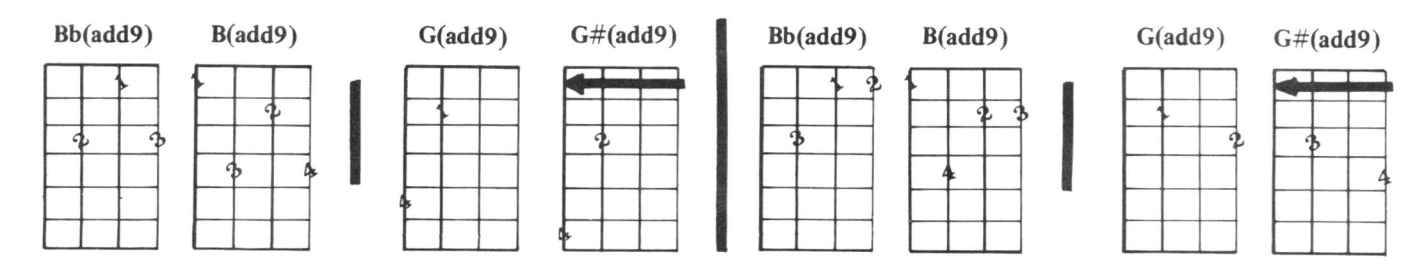

f) Acorde com sexta e nona $\frac{6}{9}$

AFINAÇÃO TRADICIONAL   AFINAÇÃO NATURAL

Eb^6_9 E^6_9 G^6_9 $G\#^6_9$ Eb^6_9 E^6_9 G^6_9 $G\#^6_9$

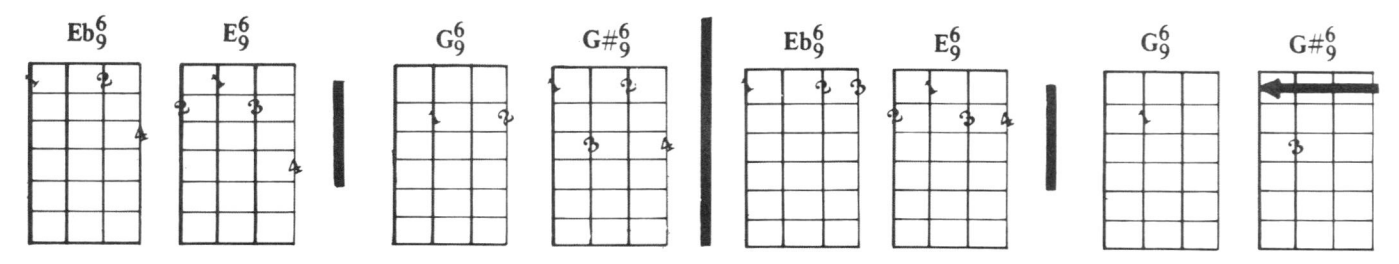

g) Acorde menor com sétima e décima primeira **m7(11)**
Podemos usar as montagens dos acordes com quarta e sétima.

h) Acordes de sétima com décima primeira aumentada **7(#11)**
Usamos as montagens correspondentes aos acordes de sétima com quinta diminuta.

i) Acordes de sétima com décima terceira **7(13)**

AFINAÇÃO TRADICIONAL

A7(13)   A#7(13)   E7(13)   F7(13)

AFINAÇÃO NATURAL

A7(13)   A#7(13)   E7(13)   F7(13)

j) Acordes de sétima com décima terceira menor **7(b13)**
Podemos usar as montagens correspondentes aos acordes de sétima e quinta aumentada.

- O que foi comentado aqui para os acordes **m7(11)**, **7(#11)** e **7(b13)**, constitui apenas uma visão prática e exclusivamente válida para cavaquinho.
- As montagens dos acordes que não aparecem neste método, podem ser deduzidas a partir de outras, apresentadas, com a modificação de uma de suas notas. Ex.:

$F7(^{9}_{13})$ (afinação tradicional) $G7M(\#5)$ (afinação natural)

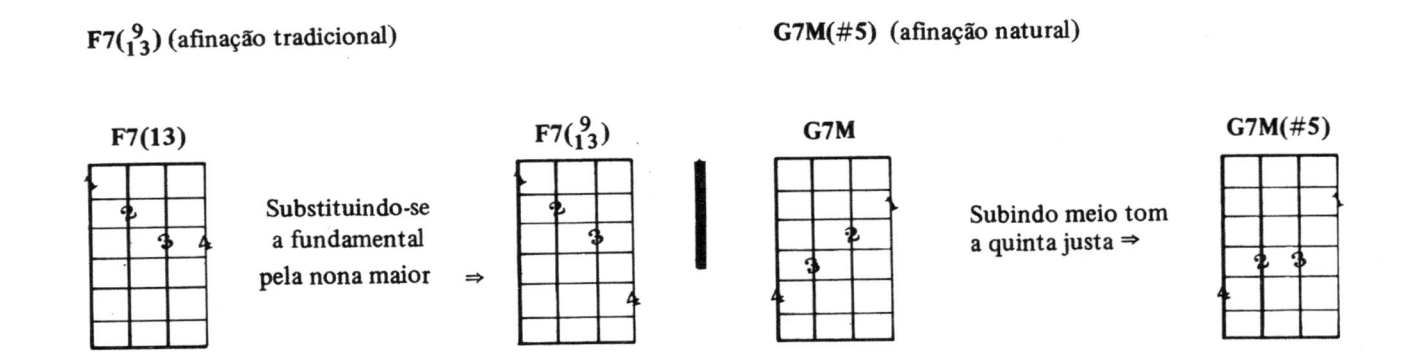

F7(13)   Substituindo-se a fundamental pela nona maior ⇒ $F7(^{9}_{13})$ G7M   Subindo meio tom a quinta justa ⇒   G7M(#5)

Observação: Sobre a questão de como harmonizar ou improvisar no cavaquinho, o melhor caminho seria através do estudo da harmonia funcional e das escalas dos acordes. Tais conhecimentos poderão ser encontrados no livro "Harmonia e Improvisação", de Almir Chediak, sendo que a digitação das escalas dos acordes no cavaquinho seguirão as regras básicas apresentadas na parte 4, capítulo V, deste livro.

IX – MÚSICAS POPULARES HARMONIZADAS

As músicas aqui apresentadas servirão de exercício para o uso dos acordes e ritmos ensinados neste método.

GUARDEI MINHA VIOLA

DÓ MAIOR   Paulinho da Viola

```
2/4) Minha vi- | C ola vai pro | A7 fundo do ba- | Dm ú | D7 | G7 não have- |
./.  rá mais ilu- | C são | G7 | C quero esque- | A7 cer ela não | Dm deixa |
                                                  ┌─── 1ª vez ───┐ ┌─ 2ª vez ─┐
./. al- | G7 guém que só me | ./. fez ingrati- | C dão mi- | G7 nha viola | C dão |
C#° no carna- | Dm val | G7 quero afas- | C tar | A7 as | Dm mágoas que o meu |
G7 samba não des- | C faz | ./. | E7 pra facili- | ./. tar o meu de- | A7 sejo |
./. guar- | Dm dei meu vio- | G7 lão não toco | C mais minha vi- | G7 ola ||
```

LEVA MEU SAMBA

SOL MAIOR   Ataulfo Alves

```
2/4) G Le- | D7 va meu | G samba G7 | Gb7 F7 | E7 meu | ./. mensa- |
Am geiro | ./. es- | B7 te re- | ./. | Em cado | ./. |
A7 para o | ./. meu amor pri- | D7 meiro | ./. | G7 vai di- | ./. zer que ela |
                                                                              ┌─ 1ª vez ─┐
C é a ra- | Cm6 zão dos meus | G/B ais E7 | A7 não D7 não | G posso mais | D7 :||
┌─ 2ª vez ─┐
G eu que pen- || B7 sava que po- | ./. dia te esque- | Em cer | ./. mas qual o | B7 que aumen- |
./. tou o meu so- | Em frer | G7 falou mais | C alto no meu | C#° peito uma sau- | G/D dade |
G e para o | D7 caso não há | ./. força de von- | G tade | G7 aquele | C samba foi pra |
C#° ver se como- | G/D via teu cora- | E7 ção onde eu di- | A7 zia "vim bus- | D7 car o meu per- | G dão" ||
```

SÓ QUERO UM XODÓ

Domiguinhos – Anastácia

2/4) Que	**G** falta eu sinto	**Em7** de um	**Bm7** bem	·/. que	**C** falta me faz
D7 um xo-	**G** dó	**D7** mas	**G** como eu não	**Em7** tenho nin-	**Bm7** guém
·/. eu	**C** levo a vida as-	**D7** sim tão	**G** só	·/. eu só	**Dm7** quero
·/. um a-	**G** mor	·/. que a-	**Dm7** cabe	·/. meu so-	**A7** frer
·/. um xo-	**Em7** dó pra	**A7** mim do meu	**Em7** jeito as-	**A7** sim que a-	**C** legre o
D7 meu vi-	**G** ver	‖: **Dm7**	**G**	**Dm7**	**G** :‖
G ‖					

TREM DAS ONZE

Adoniram Barbosa

SI MENOR

2/4) Não posso fi-	‖: **Bm** car nem mais um mi-	**Em/G** **F#7** nuto com vo-	**Bm** cê	
·/. sinto	·/. muito amor	**G7** mas não pode	**F#7** ser	
B7(b9) B7	**Em** moro	**C#m7(b5)** em Jaça-	**Bm** nã	
Bm seu eu perder esse	**G** trem	·/. que sai a-	**C#m7(b5)** goras às onze	
F#7 horas	**C#m7(b5)** só ama-	**F#7** nhã de ma-	**Bm** nhã	

— 1ª vez — — 2ª vez —

F#7 não posso fi- :‖	**Bm** e além	‖: **B7** disso "muié"	·/. tem outras	
Em "coisa"	·/. minha	**C#7** mãe não dorme en-	·/. quanto eu não che-	
F#7 gar	**F#7** **B7**	**Em** sou	**G7** **F#7** fi- lho	
Bm único	**F#7**	**Bm** tenho minha	**F#7** casa para o-	
Bm lhar (eu não posso fi-	**F#7** car) ‖			

FOLHAS SECAS

Nelson Cavaquinho – Guilherme de Brito

RÉ MAIOR

D	./.	C7	B7	Em7	./.
2/4) Quando eu piso	em folhas	se-	cas	caídas de	uma man-
Gm6	**A7**	**Em7**	**A7**	**E7**	**A7**
guei-	ra	penso na	minha es-	co-	la
D/F#	**F°**	**Em7**	**A7**	**D**	**./.**
e nos po-	etas da	minha esta-	ção pri-	meira não	sei quantas
C7	**B7**	**Em7**	**./.**	**Gm6**	**A7**
ve-	zes	subi o	morro can-	tan-	do
Em7	**A7**	**E7**	**A7**	**D Bm7**	**Em7 A7**
sempre o	sol me quei-	man-	do	e assim vou	me aca-
D	**./.**	**G#m7(b5)**	**C#7(b9)**	**F#m**	**./.**
bando		quan-	do	tempo me avi-	sar que
F#m7(b5)	**B7(b9)**	**Em7**	**./.**	**Gm6**	**./.**
eu	não	posso mais can-	tar	sei	que
D/A	**B7**	**E7(9)**	**./.**	**Gm6**	**A7**
vou sentir sau-	dades ao	lado do meu vio-	lão da	minha moci-	dade ‖

PARTIDO ALTO

Chico Buarque

MI MAIOR

E	:E7/D	A/C#	Am/C	
2/4) Diz que deu diz que	deu diz que Deus da-	rá	não vou duvi-	
E	**E7**	**A**	**G#7**	
dar ó nega	e se Deus não	dá	como é que vai fi-	
A	**Am/C**	**E/B**	**E7/G#**	
car ó nega	diz que deu diz que	dá	e se Deus ne-	
A	**G#7/B#**	**A/C#**	**Am/C**	
gar ó nega	e vou me indig-	nar e chega	Deus dará Deus da-	

┌──── 1ª vez ────┐ ┌──── 2ª parte ────┐

E/B	:‖ E/B	E	Bm7	
rá diz que deu diz que	ra Deus é um cara goza-	dor adora brincadeira	pois pra me jogar no	
E7	**A**	**A#°**	**E/B C#7**	
mundo tinha o mundo in-	teiro mas achou muito engra-	çado me botar cabreiro	na barriga da mi-	
F#7 B7	**E**	**./.**	‖	
séria nasci brasileiro	(eu sou do Rio de Ja-	neiro) diz que deu diz que		

ACONTECE

Cartola

MI MAIOR

	E7M	G°	F#m7	B7	E7M
2/4) Es-	quece o nosso a-	mor vê se es-	que-	ce por-	que tudo no

C#m7	F#m7	B7	E7M B/D#	E7/D	A7M/C#
mundo acon-	te-	ce e acon-	tece que já não sei	mais a-	mar

Dm7 G7	C7M C#°	Dm7 G7	C7M	B7	E7M
vai cho-	rar vai sofrer	e você não me-	rece mais isso acon-	tece acon-	tece que meu cora-

G°	F#m7	B7	E7M B/D#	C#m7	F#m7
ção ficou	fri-	o e	nosso ninho de a-	mor está va-	zi- o

B7 E7	A7M	Am6/C	G#m7(b5)	C#7	F#m7 Am6/C
ah!, se eu a-	inda pudesse fin-	gir que te amo	ah seu eu pu-	desse mas não	quero não devo fa-

B7	E7M
zê-lo isso não acon-	tece

SE ACASO VOCÊ CHEGASSE

Lupicínio Rodrigues — Felisberto Martins

FÁ MAIOR

	F	B°	F/C	C7/Bb	F/A
2/4) Se a-	caso você che-	gasse no	meu chatô e encon-	trasse a-	quela mulher

D7	Gm	Eb7 D7	Gm	·/.	C7
que vo-	cê gostou	se-	rá que tinhas co-	ragem de tro-	car nossa ami-

C7	Gm	C7	F	C7	F
zade por	ela que já	lhe a-	bandonou	eu	falo porque essa

Am/E	F7/Eb	F7	Cm7	F7	Bb7M
dona já	mora no meu bar-	raco à	beira de um re-	gato e um	bosque em flor

F7	Bb7M	Eb7(9)	Am7	D7	Gm
de	dia me lava a	roupa de	noite me beija a	boca e as-	sim nós vamos vi-

C7	F
vendo de a-	mor

RECADO

Paulinho da Viola — Casquinha

MIB MAIOR

Eb	Bb7	Eb	·/.	Eb/G	C7
2/4) Leva	um re-	cado		quem me deu tanto	dis- sa-

Fm	C7	Fm	Bb7	Eb	·/.
bor		diz que eu	vivo bem me-	lhor assim	e que no pas-

F7	·/.	Bb7	·/.	Fm	Bb7
sado fui	um	sofredor	e agora	já	não

C7	·/.	F7	Bb7	Eb	·/.
sou	o que pas-	sou	pas-	sou	

Fm	Bb7	Eb	·/.	Fm	Bb7
vai di-	zer a minha	ex-amada		como é fe-	liz meu

C7	·/.	Fm	Bb7	Eb	C7
coração		mas que nas	minhas madru-	gadas	eu não me es-

Fm	Bb7	Eb	Bb7
queço	dela	não	

VOU FESTEJAR

Dida, Neoci e Jorge Aragão

MI MENOR

2/4) :|| Em | ./. | ./. | ./. | Am | ./. |
Cho- | ra | | não | vou li- | gar | |

| Am | ./. | D7 | ./. | ./. | ./. |
| che- | gou a | hora | | vais | me pa- |

| G | ./. | B7 | ./. | Em | B7 | :||
| gar | pode cho- | rar | pode cho- | rar mas | chora | (1ª vez)

(2ª vez)
| Em | B7 || E | ./. | ./. | ./. |
| rar | | é | | | o meu cas- |

| G#m7 | ./. | ./. | ./. | Bm7 | ./. |
| ti- | go | bri- | gou co- | mi- | go |

| C#7 | ./. | F#m7 | ./. | Am6 | ./. |
| sem | ter por | que | | eu | |

| ./. | ./. | E | ./. | C#7 | ./. |
| vou | feste- | jar vou | feste- | jar o | teu so- |

| C7 | ./. | B7 | ./. | Em | ./. |
| frer | | o teu | pe- | nar vo- | cê pa- |

:|| Am7 | D7 | G | C7M | F#7 | B7 |
gou com | trai- | ção | a quem | sempre lhe | deu a |

| Em | E7 | :|| Em ||
| mão vo- | cê pa- | mão | (1ª vez / 2ª vez)

AGORA É CINZA

Bide — Marçal

SIb MAIOR

2/4) || Bb7M | G7 | Cm7 | F7 | Cm7 |
Vo- | cê | par- | tiu na sau- | dade me dei- | xou |

| F7 | Bb7M | F7 F7/Eb | Bb/D | Db° | Cm7 |
| eu cho- | rei | o nosso a- | mor | foi uma | chama |

| ./. | F7 | ./. | Fm6/Ab | G7 | Cm7 |
| que o | sopro do pas- | sado des- | faz | agora é | cinza |

| F7 | Bb6 G7 | Cm7 F7 | Bb6 | F7 | Bb6 |
| tudo aca- | bado | e nada | mais | vo- | cê par- |

| G7 | Cm7 | ./. | F7 | ./. | Bb7M |
| tiu de madru- | gada e | não me disse | nada | isso não se | faz |

| Dm/A | Fm6/Ab | G7 | Cm7 | Eb E° | Bb/F Gm7 |
| me dei- | xou | cheio de sau- | dades e pai- | xão não me con- | formo com a |

| Cm7 F7 | Bb6 | F7(13) ||
| sua ingrati- | dão |

FREVO NOVO

Caetano Veloso

SIb MAIOR

$\frac{2}{4}$) A ‖: **Bb7M** | **G7** | **Cm7** | ·/. | **F7** |
   Praça Castro | Alves é do | povo | como o | céu é

| ·/. | **Fm7** | **Bb7** | **Eb7M** | **E°** | **Bb/F** |
| do avi- | ão | um frevo | novo um fre- | vo novo um frevo | novo todo

| **Gm7** | **Cm7** | ·/. | **F7** | **Bb7M** | **F7** |
| mundo na | praça manda a | gente sem | graça pro sa- | lão (1ª vez) | a :‖

2ª vez
| **Bb7M** | ‖ **Gm7** | **Cm7** | **F7** | **Bb7M** | **Gm7** |
| lão mete o | coto- | velo e vai a- | brindo ca- | minho | pegue o meu ca-

| **Cm7** | **F7** | ·/. | **Fm7** | **Bb7** | **Eb7M** |
| belo pra não se per- | der e | terminar so- | zinho | o tempo | passa mas na

| **E°** | **Bb/F** | **Gm7** | **Cm7** | ·/. | **F7** |
| raça eu chego | lá e a- | qui nesta | praça que tudo vai | | ter que pin-

| **Bb7M** ‖
| tar

KID CAVAQUINHO

João Bosco - Aldyr Blanc

RÉ MAIOR

$\frac{2}{4}$) Oi que foi só pe- | gar no cava- | ‖ **D** | **A7** |
                                              quinho | pra nego ba-

| **D6** | ·/. | ·/. | **G** |
| ter mas se eu contar do que é que | pode um cava- | quinho os | home não vai

| **D6** | ·/. | ·/. | **B7** |
| crer quando ele fere, fere | firme e dói que | nem | pu-

| **E7** | ·/. | **A7** | ·/. |
| nhal quando ele invoca até pa- | rece um pega | na | ge-

| **D6** | **A7** | ‖ **D** | ·/. |
| ral | Ge- | nésio | a mulher do vi-

| **G** | ·/. | **A7** | ·/. |
| zinho | sus- | tenta | aquele vaga-

| **D** **D7** | **Db7** **C7** | **B7** | ·/. |
| bundo | ve- | neno | é com meu cava-

| **E7** | ·/. | **A7** | ·/. |
| quinho | pois se eu tô com | ele | encaro todo

| **D6** | ·/. | **B7** | ·/. |
| mundo | se al- | guém | pisa no meu

| **E7** | ·/. | **A7** | ·/. |
| calo | puxo o cava- | quinho | pra cantar de

| **D6** ‖
| galo

BLOCO DO PRAZER

Moraes Moreira - Fausto Nilo

LÁ MENOR

2/4)

	Am	./.	E7/G#	./.	E7
Pra	libertar meu	coração	eu quero	muito mais	que o som da
./.	Am	./.	Em7(b5)	./.	A7
marcha	lenta	eu	quero um novo	balancê	o bloco
./.	Em7(b5)	A7	Dm7	./.	G$^7_4$
do prazer	que a multi-	dão co-	menta	não	quero oito
G7	C7M	./.	B7	./.	E7
nem oi-	tenta	eu	quero o bloco	do prazer	e quem não
./.	Am	./.	E7/G#	./.	E7
vai querer ma-	mã mamãe eu	quero sim	quero ser	mandarim	cheirando
./.	Am	./.	Em7(b5)	./.	A7
gaso-	lina	na	fina flor do	meu jardim	assim co-
./.	Em7(b5)	A7	Dm7	./.	G$^7_4$
mo o car-	mim na boca	das me-	ninas	que a	vida arrasa e
G7	C7M	./.	B7	./.	E7
conta-	mina	o	gás que embala o	balan-	cê
./.	A7M	./.	./.	F#7	Bm7
	vem	meu amor feito	louca que a vida tá	pouca e eu quero	muito
E7	Bm7	./.	./.	E7	A7M E7
mais	mais	que essa dor que arre-	benta a paixão vio-	lenta oitenta	carnavais

WAVE

Tom Jobim

RÉ MAIOR

2/4)

	:D7M	G°/D	D$^7_4$(9)	D7(9) D7(b9)	G7M
Vou te con-	tar o que os	olhos já não podem	ver	coisas que	só o cora-
	mar é	tudo que eu não sei con-	tar	são coisas	lindas que eu
Gm6	F#7(13) F#7(b13)	F#m7 B7(b9)	E$^7_4$(9) E7(9)	Gm7 A7(b13)	Dm7(9) G7(13)
ção pode enten-	der	fundamental é	mesmo o amor é impos-	sível ser feliz so-	zinho
tenho pra te	dar	vem de mansinho a-	visa e me diz que é impos-	sível ser feliz só	

2ª vez

Dm7(9) G7(13)	Dm7(9) G7(13)	Dm7(9) G7(13) G7(b13)	Gm7	C/Bb	Am7
o resto é	zinho		da primeira	vez era ci-	dade
Dm7(9)	Fm7	Bb/Ab	Gm7	A7(#5)	D7M
	da segunda ao	cais a eterni-	dade	agora eu já	sei da
G°/D	D$^7_4$(9)	D7(9) D7(b9)	G7M	Gm6	F#7(13) C7(9)
onda que se er- gueu do	mar	e das es-	trelas que esque-	cemos de con-	tar
B$^7_4$(9) B7(b9)	E$^7_4$(9) E7(9)	Gm7 A7(b13)	Dm7(9) G7(13)	Dm7(9) G7(13)	
o amor se deixa	surpreender enquan- to a	noite vem nos envol-	ver		

BRASIL PANDEIRO

Assis Valente

SI MAIOR

```
2)
4)              Chegou a || B7M        C°    | C#m7       F#7   | B7M              |
                         || hora dessa bronze| ada mostrar seu va| lor              |

| B7                     | F#m7              | B7               | E                |
|          eu fui a      | Penha fui pedir a padro| eira para me aju| dar           |

| ·/.                    | G°                | ·/.              | F#7              |
|          salve o       | Morro do Vin-     | tém, pendura a   | saia, eu quero   |

| ·/.                    | C#m7       F#7    | C#m7       F#7   | B7M              |
| ver      eu quero      | ver o tio Sam tocar pan| deiro para o mundo sam| bar         |

| F#7                    | B7M        C°     | C#m7       F#7   | B7M              |
|          o tio         | Sam está querendo conhe| cer a nossa batu | cada             |

| B7                     | F#m7              | B7               | E                |
|          andou di-     | zendo que molho da bai| ana melhorou seu | prato            |

| ·/.                    | G°                | ·/.              | F#7              |
|          vai en-       | trar no cus-      | cus, acara-      | jé e aba-        |

| ·/.                    | C#m7       F#7    | C#m7       F#7   | B7M              |
| rá       na casa       | branca já dançou a batu| cada de ioiô e ia| iá              |

| C°                     | C#m7              | F#7              | D#m7             |
|          Bra-          | sil esquen-       | tai vossos pan   | deiros ilumi-    |

| A°       G#7           | C#m7              | G°         F#7   | B7M              |
| nai os ter-            | reiros que nós que| remos sam-       | bar              |

| C°                     | C#m7              | F#7              | D#m7             |
|          há quem       |                   | sambe dife-      | rente noutras    |

| A°       G#7           | C#m7              | G°         F#7   | B7M              |
| terras   outra         | gente, num ba-    | tuque de ma-     | tar              |

| C°                     | C#m7              | F#7              | D#m7             |
|          batu-         | cada reu-         | ní vossos va-    | lores pasto-     |

| A°       G#7           | C#m7              | G°         F#7   | F#m7             |
| rinhas e can-          | tores expres-     | sões que não tem | par ó meu Bra-   |

| B7                     |||: E              | Em6              | D#m7             |
| sil Bra-               |   sil esquen-     | tai vossos pan-  | deiros ilumi-    |
                                                                    ─── 1ª vez ───
| G#7                    | C#m7              | F#7              | F#m7             |
| nai os ter-            | reiros que nós que| remos sam-       | bar              |
─── 2ª vez ───
| B7                     |:| B7M             | A7M              |||: B7M            |
|         Bra-           |   bar    ô        | ô sam-           |    bar   ô       |

| A7M                    |
| ô sam-        :||
```

BIBLIOGRAFIA

Chediak, Almir. *Dicionário de Acordes Cifrados – Harmonia Aplicada à Música Popular*, Irmãos Vitale Editores, Rio de Janeiro, 1985, 360 páginas.

Chediak, Almir. *Harmonia e Improvisação*, Lumiar Editora, Rio de Janeiro, 1987, 368 páginas (Vol. I), 292 páginas (Vol.II).

Dicionário de Música, Zahar Editores S.A., Rio de Janeiro, 1985, 00 páginas.

Enciclopédia da Música Brasileira: Erudita, folclórica e popular, Art Editora, São Paulo, 1977, 544 páginas (Vol. I), 646 páginas (Vol. II).

Veiga de Oliveira, Ernesto. *Instrumentos Populares Portugeses*, Edição da Fundação C. Gulbenkian, Lisboa, 1981.

Guest, Ian. *Curso de Harmonia Aplicada à Música Popular (manuscritos do autor)*, Rio de Janeiro.

Índice alfabético das obras musicais populares inseridas no Escola Moderna do Cavaquinho e respectivos titulares:

- Acontece — Edições Musicais Marajoara Ltda.
- Agora é cinza — Irmãos Vitale S/A
- Bloco do prazer — Sempre Viva Edição Musical Ltda.
- Brasil pandeiro — Irmãos Vitale S/A
- Folhas secas — Editora Musical Arlequim Ltda.
- Frevo novo — Edições Intersong Ltda.
- Guardei minha viola — Edições Intersong Ltda.
- Leva meu samba — Editora Musical Arlequim Ltda.
- Partido alto — Editora Musical Arlequim Ltda.
- Recado — Edições Intersong Ltda.
- Se acaso você chegasse — Irmãos Vitale S/A
- Só quero um xodó — Edições Intersong Ltda.
- Trem das onze — Irmãos Vitale S/A
- Vou festejar — Edições Intersong Ltda.
- Wave — Antonio Carlos Jobim
- Kid cavaquinho — Editora Musical R.C.A. Ltda.

* As músicas inseridas neste livro foram autorizadas graciosamente pelas Editoras por tratar-se de obra didática.